ZAMEK

PRZEZ SIEDEM STULECI ZAMEK WARSZAWSKI WZNOSIŁ SIĘ DUMNIE NAD WIŚLANĄ SKARPĄ. *Apel,* styczeń 1971 r.

2. Przemieniały się w ciągu wieków kształty czcigodnej budowli. Ale zawsze był Zamek nierozdzielnie związany z Warszawą. Zbudowany nie poza miastem i nie przeciw miastu (jak bywało z niejedną rezydencją władzy) — ale jako jego część składowa, jako potężny bastion obronny w obrębie miejskich fortyfikacji. I taki właśnie — w Stare Miasto wtopiony — ukazuje się nam Zamek w *Widoku ogólnym Warszawy od strony Pragi* imć Canaletta, przed dwoma wiekami powstałym, a wciąż żywym.

> Stare Miasto, Warszawy relikwiarzu święty,
> Pieśnią wieków porosły, mgłą ich przysłonięty...
> O, gdybyż gadać umiał każdy mur i załom,
> Jak się napatrzył rzezi, przysłuchał wystrzałom...
> Jak się o mury tłukła, jak w błękity mknęła
> Czarowna pieśń Legionów „Jeszcze nie zginęła"...
> O, gdyby gadać mogły kamienie i cegły,
> To nawet w trupich piersiach ogień by zażegły.

Powtarzając te słowa piewcy Warszawy Or-Ota, jednym uczuciem miłości obejmujemy Stare Miasto i Zamek.

WBREW WSZELKIM DZIEJOWYM BURZOM I NAWAŁNICOM, NAD WIŚLANĄ SKARPĄ ZNÓW WZNIESIE SIĘ W GÓRĘ POMNIK NASZEJ NIEZAWISŁEJ PAŃSTWOWOŚCI — ZAMEK KRÓLEWSKI. *Apel,* styczeń 1971 r.

3. Bryła Zamku w nadwiślańskiej panoramie — zniszczona przez hitlerowców — przywrócona do życia naszym wspólnym wysiłkiem — znów jak na słynnym obrazie Canaletta jest częścią Stolicy i jej Starówki.

4. (Ilustracja na stronie następnej.) Odbudowany Zamek — widziany od południowego zachodu — przy placu Zamkowym, na który otwierają się staromiejskie ulice, znów stoi. Milczącym głosem murów mówi do nas i do pokoleń, które przyjdą. Echo mu odpowiada słowami Or-Ota:

> Zbryzgane i przesiąkłe deszczem rosy krwawej,
> Warszawskie Stare Miasto to serce Warszawy!
> O, warto się wam wsłuchać w tego serca bicie,
> Patrzcie, jak z niego tryska jędrne, zdrowe życie!
> Patrzcie, jak pełne wiary, jak krzepkie na duchu...

W surowym stanie zakończony w przeddzień lipcowego święta 1974 r., po pieczołowitym wykończeniu elewacji i dopełnieniu rekonstrukcji wnętrz — nową służbę społeczną rozpoczął Zamek 1 września 1984 r., w 45 rocznicę napaści hitlerowskiej na Polskę.

Przybywają tu nieprzeliczone tłumy zwiedzających z Warszawy, z całej Polski, z zagranicy.

Jest też Zamek miejscem spotkań państwowych i społecznych szczególnej rangi. Urządzane tu wystawy i koncerty, spotkania twórcze i naukowe stanowią ważne wydarzenia w życiu kulturalnym Stolicy i kraju.

Polacy widzą w Zamku symbol trwałości i niepodległości Państwa, symbol siły odrodzeńczej narodu, który wielekroć podnosił się z klęsk zewnętrznych i z własnych słabości.

Odwiedzający Polskę cudzoziemcy darzą Zamek dużym zainteresowaniem. Odbudowa Zamku jest uważana za akt o szerokim znaczeniu ogólnoludzkim jako protest przeciw straszliwym skutkom wojny, protest przeciw świadomemu niszczeniu dóbr kultury.

ODTWORZENIE ZAMKU W CAŁYM JEGO DAWNYM KSZTAŁCIE ZEWNĘTRZNYM I WEWNĘTRZ-NYM, W CAŁEJ JEGO ŚWIETNOŚCI — JEST ZADANIEM NIEMAL BEZ PRECEDENSU. *Apel,* styczeń 1971 r.

5. Dziedziniec Wielki. Odbudowane mury. Wieża Władysławowska jak przed wiekami spina pierzeję będącą odtworzonym gotyckim Dworem Większym z doby Piastów mazowieckich oraz zrekonstruowane północno-wschodnie skrzydło, czyli jagielloński Dom Nowy Króla Jego Miłości.

6. Jak przed wiekami lśni w słońcu iglica hełmu na Wieży Zygmuntowskiej zachodniego wazowskiego skrzydła Zamku. Wskazówki obiegają tarcze zegara — który zamarł 17 września 1939 r.

Zewnętrzny kształt Zamku jest oparty na historycznych przekazach wielostronnie analizowanych. Tak na przykład przywrócono w fasadzie zachodniej znane z XVII-wiecznych zapisów i źródeł ikonograficznych dwie narożne wieżyczki i cztery lukarny między nimi — choć nie istniały one w 1939 r.

Zachowane zostały wszystkie fragmenty ocalałych murów. Zachowano ściśle układ wnętrz.

Generalny wykonawca — Pracownie Konserwacji Zabytków, PKZ — musiał pokonywać tysiączne trudności. Ot, choćby, do rekonstrukcji fasady Dworu Większego specjalnie wyprodukowano cegły o wymiarach cegieł gotyckich. Żeby uzyskać odpowiedni surowiec dla wystroju kamieniarsko-rzeźbiarskiego elewacji — uruchomiono nieczynne od dawna kamieniołomy koło Szydłowca.

Zachowując jak najwięcej elementów wiernych przeszłości, wprowadzono nowoczesne techniczne wyposażenie budynków. Zamek otrzymał urządzenia ogrzewcze i regulujące wilgotność, windy oraz inne instalacje — bez zmieniania sylwetki budowli. Konieczne zespoły maszyn umieszczono na poddaszach i w piwnicach, wykonano kondygnację techniczną w głębi ziemi, poniżej piwnic zamkowych i dawnych fundamentów.

Projektowa pracownia „Zamek" PKZ-ów pod kierunkiem prof. Jana Bogusławskiego działała w ścisłym porozumieniu z komisjami Obywatelskiego Komitetu Odbudowy Zamku Królewskiego, na których czele stanęli naukowcy światowej miary, ludzie przeniknięci miłością do Warszawy, z poświęceniem pełniący swą służbę społeczną. Na czele Komisji Naukowej — prof. Stanisław Lorentz, Komisji Historyczno-Archeologicznej — prof. Aleksander Gieysztor, Komisji Architektoniczno-Konserwatorskiej — prof. Jan Zachwatowicz.

ŚWIADOMI JESTEŚMY TEGO, ŻE PODEJMUJĄC DZIEŁO ODBUDOWY ZAMKU W WARSZAWIE SPEŁNIAMY OD DAWNA WYRAŻANĄ WOLĘ SPOŁECZEŃSTWA POLSKIEGO. *Apel,* **styczeń 1971 r.**

7. Z lotu ptaka — od strony Miodowej i Krakowskiego Przedmieścia — najlepiej widać zrekonstruowany pięciobok Zamku. Taki sam, jaki trwał od czasu Wazów do 1944 r.

Młodzi często nie wiedzą, starsi zapominają, że w 1945 r. było tu morze gruzów. Jest to dziś dla wszystkich po prostu najbardziej charakterystyczne miejsce Warszawy: Zamek, a przy nim Kolumna Zygmunta.

17 stycznia 1946 r. padły słowa: ,,Nie ma w Polsce i nie ma na całym świecie drugiego takiego miasta, które by w równym stopniu symbolizowało i odzwierciedlało nie tylko losy, ale i duchową jaźń, psychikę społeczną swego narodu, jego hart, siłę i charakter uczuć zbiorowych... Rodacy!... Uczyńmy wszystko, żeby jak najrychlej przywrócić naszej Warszawie jej dawną wspaniałość i wielkość!''

,,Zamek Królewski w Warszawie — Pomnik Historii i Kultury Narodowej'' to od 1979 r. oficjalna nazwa, jaką otrzymał odbudowany Zamek, stając się samodzielną instytucją państwową pod opieką Rady Ministrów. Dziś nie sposób wyobrazić sobie Warszawy bez Zamku. Jego bryła wrosła w świadomość i uczucia kolejnych pokoleń Polaków.

NAJEŹDŹCA NISZCZYŁ NIE TYLKO WYPALONE MURY, CHCIAŁ UNICESTWIĆ PO WSZE CZASY ZAMEK JAKO SYMBOL NIEPODLEGŁOŚCI I PAŃSTWOWOŚCI POLSKIEJ. PRAGNĄŁ POZBAWIĆ NAS NA ZAWSZE WIELKIEGO DOKUMENTU TRWAŁOŚCI, NIEZAWISŁOŚCI I DUMY NARODU POLSKIEGO. *Apel,* styczeń 1971 r.

8. Jeszcze nie skończyła się wojna, jeszcze nie przyszło wyzwolenie dla Warszawy — a już nad przerażającą pustką ruin, nad miejscem po Zamku wiatry niosły wieść, że Krajowa Rada Narodowa 3 stycznia 1945 r. podjęła uchwałę o odbudowie Warszawy jako stolicy.

> Bryła ciemna, miasto pożarne,
> jak lew stary, co kona długo,
> posąg rozwiany w dymy czarne,
> roztrzaskany czasów maczugą.
>
> I znów ująć dłuto i rydel,
> ciąć w przestrzeni i w ziemi szukać,
> wznosić wieki i pnącza żywe
> na pilastrach, formach i łukach —

— wołał spod gruzów głos zabitego w 1944 r. poety, Krzysztofa Kamila Baczyńskiego. Nie był to głos bezsilnej rozpaczy. Ale wezwanie.

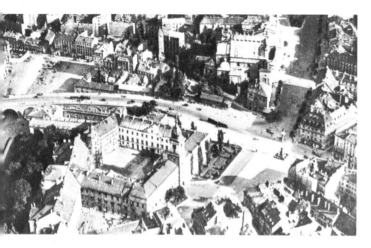 

9.–10. Zamek oglądany z lotu ptaka — od północy i od południa — około 1926 r. Widać rusztowania związane z pracami prowadzonymi przez Kazimierza Skórewicza (zaczętymi pod patronatem zasłużonego Towarzystwa Opieki nad Zabytkami Przeszłości). On to odkrył pod warstwą tynków gotyckie mury Dworu Większego, usuwał dziewiętnastowieczne przeróbki Zamku, prowadził badania naukowe.

11.–12. Widok Zamku w latach trzydziestych — od pl. Zamkowego oraz od Wisły i Nowego Zjazdu. Kierujący wówczas pracami architektoniczno-konserwatorskimi na Zamku Adolf Szyszko-Bohusz rozebrał wystającą na południe oficynę saską, przebudował według własnego projektu Wieżę Grodzką i obniżył północną oficynę Pałacu pod Blachą.

13. Widok z dziedzińca na zachodnią pierzeję Zamku z Wieżą Zygmuntowską — przed 1939 r.

Po uzyskaniu niepodległości przez Polskę podjęła Rada Ministrów 19 lutego 1920 r. uchwałę, na mocy której Zamek i Pałac pod Blachą (a także Łazienki, Belweder i Wawel) stały się gmachami reprezentacyjnymi Rzeczypospolitej.

Stąd, z Zamku wyniesiono trumnę pierwszego prezydenta prof. Gabriela Narutowicza. Tu po 1926 r. była siedziba prezydenta prof. Ignacego Mościckiego. Tu odbywały się najuroczystsze akty państwowe, odbywano najdonioślejsze spotkania.

Wyznaczono też w Zamku — decyzją prezydenta Stanisława Wojciechowskiego — mieszkania dla szczególnie zasłużonych. Tu właśnie nad Salą Tronową i Gabinetem Konferencyjnym mieszkał wielki pisarz Stefan Żeromski i tu umarł 25 listopada 1925 r.

Zgodnie z postanowieniami Traktatu Ryskiego z 1921 r. powróciła do Polski znaczna część urządzenia wnętrz i zbiorów zamkowych, wywożona przez długie lata obcych rządów.

Głównym salom stanisławowskim przywrócono ich królewski wygląd i zamieniono je w muzeum, użytkując też podczas uroczystości państwowych. Zwiedzający poddawali się rytmowi monumentalnej amfilady, zachwycali urodą wyposażenia. Oddychali miłością do Polski.

Już w niedługi czas przyszło dać świadectwo tej miłości.

W TRAGICZNĄ „CZARNĄ NIEDZIELĘ" 17 WRZEŚNIA 1939 ROKU OD BOMB I POCISKÓW ARTYLE-
RYJSKICH NAJEŻDŻCY HITLEROWSKIEGO ZAMEK STANĄŁ W OGNIU. *Apel,* styczeń 1971 r.

W PIERWSZYCH MIESIĄCACH OKUPACJI ZOSTAŁ PRZEZ WROGA DOSZCZĘTNIE OBRABOWA-NY I ZDEWASTOWANY, A W PRZEDDZIEŃ WYZWOLENIA W 1944 R. OKUPANCI RUINY ZAMKU WYSADZILI W POWIETRZE. *Apel,* styczeń 1971 r.

14.–18. Te same miejsca, które na poprzedniej stronicy oglądaliśmy pełne życia. Tu rośnie groza. Jeszcze we wrześniu 1939 r. niektóre okna błyszczą szkłem, jeszcze dachy są częściowo zachowane. Potem tylko ogołocony szkielet murów — czy oglądany od placu Zamkowego, czy od Wisły, czy z podwórca. Ale wykonywanie dokumentacji fotograficznej mówi o trwającej — wbrew martwocie — woli życia. I to, że mimo najsroższych zakazów owe ruiny dawały schronienie różnym formom polskiej działalności konspiracyjnej...

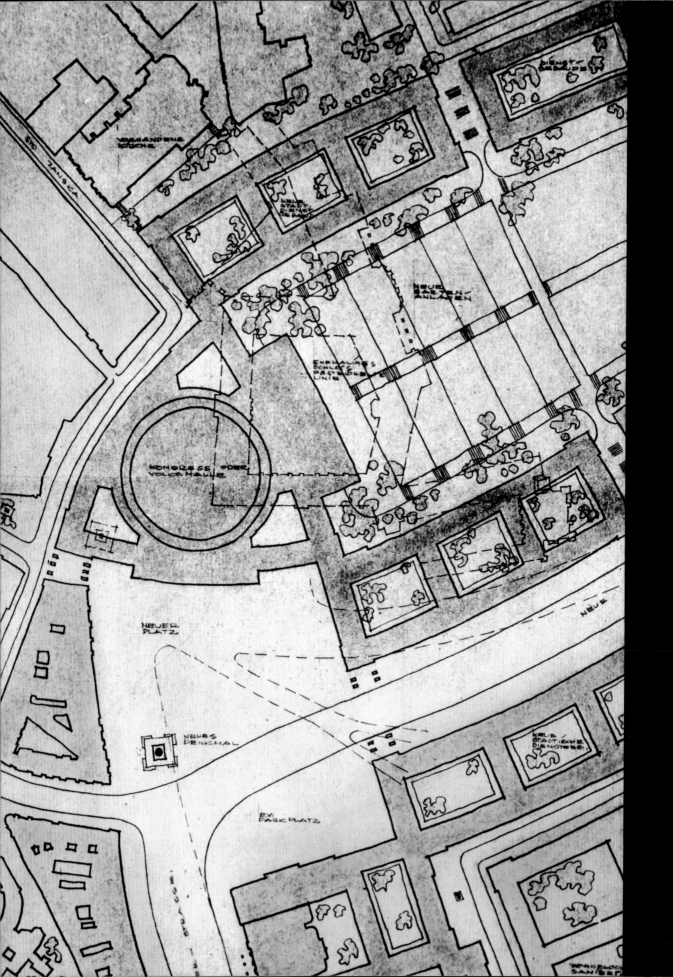

WARSCHAU

WARSCHAU

19.–22. Zniszczenie Zamku nie było przypadkowym wynikiem działań wojennych. Było to świadome wykonanie decyzji politycznych, z góry zaplanowane i konsekwentnie realizowane.

17 września 1939 r., kiedy Zamek został zasypany gradem pocisków i bomb zapalających — Hitler osobiście kierował atakiem na Warszawę.

4 listopada 1939 r. Hitler „wyraził aprobatę dla działalności generalnego gubernatora, zwłaszcza dla zburzenia Zamku w Warszawie i nieodbudowywania tego miasta" (zapisał to w swym dzienniku generalny gubernator Hans Frank).

Przy ruinach Zamku — niemieckie drogowskazy.

6 lutego 1940 r. przedłożono do akceptacji generalnego gubernatora projekt urbanistów z Würzburga „Die neue Stadt Warschau" „Nowe miasto Warschau", czyli tzw. plan Pabsta; na miejscu milionowej stolicy Polski miało być stutysięczne prowincjonalne miasto o ludności germańskiej.

Prof. Jan Zachwatowicz zanotował: „Plan ten widziałem w pracowni niemieckiej w listopadzie 1939 r." Można więc przypuszczać, że przygotowywano go już przed wojną.

Wykonane w 1942 r. załączniki do owego planu Pabsta: rzut z góry i rysunek perspektywiczny, plastycznie ukazują zamiar zburzenia Zamku i zamknięcia Krakowskiego Przedmieścia budynkiem Kongress- oder Volkshalle — halą kongresów albo zebrań ludowych.

Na powiększonym fragmencie załącznika do planu Pabsta widać: przerywaną kreską zaznaczony kontur ehemaliges Schloss — byłego Zamku.

BUDOWĘ ZAMKU
ROZPOCZĘLI W XIII WIEKU KSIĄŻĘTA
MAZOWIECCY, W XVI WIEKU
ZA CZASÓW KRÓLA ZYGMUNTA III
STOLICA ZOSTAŁA PRZENIESIONA
DO WARSZAWY A ZAMEK ZOSTAŁ
ROZBUDOWANY

TU NA ZAMKU 3 MAJA 1791 ROKU
SEJM UCHWALIŁ KONSTYTUCJĘ

ZAMEK ZOSTAŁ SPALONY
PRZEZ WOJSKA NIEMIECKIE W 1939
ROKU I NASTĘPNIE BARBARZYŃSKO
WYSADZONY W POWIETRZE PRZEZ
HITLEROWCÓW W ROKU 1944

23.–25. Kiedy Zamek Królewski w Warszawie stał się zwaliskiem cegieł i kamieni — przez niezwykły dar losu ocalał fragment południowego nadwiślańskiego ryzalitu. Tragiczny i patetyczny, a zarazem pełen nadziei — oknem dawnego pokoju Żeromskiego patrzył w niebo. Potem, kiedy uporządkowane tereny zamkowe otoczono obramieniem wytyczającym pięciobok dawnych murów — ów fragment wsparto, zabezpieczono przed obaleniem.

Każdy go widział z daleka.

Nazywano go „ścianą Żeromskiego". Nie ścianą płaczu. Ale ścianą wielkiego pisarza — budziciela sumień.

Tablica z brązu przypominała dzieje Zamku.

26.–27. „Ściana Żeromskiego" została w czasie odbudowy wmontowana w zrekonstruowany gmach.

Ta sama. Jest.

Dzisiaj w przyziemiu jagiellońskiej części Zamku widać za piękną łożnicą uchylone drzwi alkierza. Wykwintne, harmonijne wnętrze. Na ścianach ciężkie kotary z miękkiego aksamitu.

A jeśli uchylić zasłon — to jakby rozpaczliwy krzyk ze zduszonego gardła. Mur szorstki, zbielały od wapna. Męczeński mur. Nie zabliźnione rany.

W ścianach otwory wywiercone przez minerów na założenie ładunków dynamitu.

Te same.

APEL

RODACY!

POLKI I POLACY W KRAJU I NA OBCZYŹNIE!

WARSZAWIACY

ŻYJĄCY W ODRODZONEJ STOLICY

WARSZAWIACY ROZSIANI PO CAŁEJ POLSCE

WARSZAWIACY

MIESZKAJĄCY W RÓŻNYCH KRAJACH

ŚWIATA!

Obywatelski Komitet Odbudowy Zamku Królewskiego w Warszawie zwraca się do Was wszystkich z serdecznym apelem:

Zamek Królewski będzie odbudowany. Podniesiemy go z ruin wspólnym, narodowym wysiłkiem. W tym wielkim dziele nie może zabraknąć nikogo, kto czuje i myśli po polsku.

Przez siedem stuleci Zamek warszawski wznosił się dumnie nad wiślaną skarpą. Przez blisko pół tysiąca lat był świadkiem wielkich wydarzeń historycznych, symbolem więzi narodowej. To w murach jego najstarszej części Zygmunt August przygotowywał wielkie dzieło Unii Lubelskiej. Tu obradowały Sejmy Rzeczypospolitej. Tutaj zrodziła się myśl o Komisji Edukacji Narodowej - pierwszym w Europie ministerium powszechnej oświaty. W Zamku uchwalona została wiekopomna Konstytucja 3 Maja i tu mieściły się najwyższe władze Rzeczypospolitej. Na Zamku składano trofea zwycięskich bitew, tutaj wielkim blaskiem jaśniał majestat Rzeczypospolitej.

28. Początek *Apelu* ogłoszonego przez Obywatelski Komitet Odbudowy w styczniu 1971 r., wielekroć przywoływanego na kartach tej książki.

29. W pieczołowicie odbudowanym wnętrzu dawnej Sieni Poselskiej, w ocalałym fragmencie gotyckiej ściany Dworu Większego mazowieckich Piastów — widać otwory na ładunki dynamitu wywiercone przez hitlerowskich ,,Übermenschów''.

30.–34. Wspomnienie odbudowy. Jakby z góry na dół ułożone kolejne klatki filmu:

Rok 1971, jesień. Początek odbudowy sklepień południowego skrzydła Zamku na tle widocznej „ściany Żeromskiego" i rusztowań przy rosnącym Dworze Większym.

Rok 1972. Gotowe przyziemie południowego skrzydła. Początek budowy pierwszego piętra.

Rok 1973. Już południowe skrzydło rośnie drugim piętrem. A nad Dworem Większym — dźwigary wiązań dachowych.

I jeszcze raz czas dawniejszy:

Brama Grodzka w 1971 r., taka jaką w 1947 r. zmontowano z autentycznych fragmentów przechowywanych od wojny w Muzeum Narodowym.

Brama Grodzka w 1972 r.

35. Brama Grodzka, jaką dziś można podziwiać w całej urodzie.

36.–38. Lipiec 1974. Zamek gotowy — w rusztowaniach — czeka na założenie hełmów wież. Już wmontowano mechanizm zegara i dzwony, i tarcze.

7 lipca 1974. Hełm Wieży Zygmuntowskiej stoi na podłożonych drewnianych balach.

Wreszcie kulminacyjny moment.

Ramię dźwigu zaczyna się unosić. Napięły się liny. Moment niepewności, lęku. Czemu hełm stoi nieruchomo?! Czy coś przeszkadza?! Nie! Drgnął! Pierwsza maleńka szpara nad drewnianymi balami. Większa, większa, jeszcze większa. Już hełm mija cegły muru, okna. Już miga za nim czerwień dachówek. Wyżej. Jeszcze wyżej. Już miedziana blacha połyskuje na tle nieba. Teraz trzeba go opuścić, żeby osiadł na górnej ramie wieży, precyzyjnie nakierowany drobnymi ruchami liny.

Ci co pracują, mają całą uwagę skupioną na realizowanym dziele.

Ale w tłumie patrzących, który mimo niepogody gromadzi się za ich plecami, oczy wilgotnieją. Czy to tylko krople deszczu płyną po twarzach?...

Do paradoksów historii współczesnej należało to, że jedna z najpopularniejszych po drugiej wojnie światowej piosenek warszawskich została napisana przez... Adama Bartelsa w Krakowie w XIX wieku..

Brzmiała jednak jak najaktualniej w zgruzowstającej Warszawie. I warto ją tu przypomnieć.

> Niedowiarki, czcze umysły
> Pletą nam rozprawy,
> Że na tamtym brzegu Wisły
> Nie ma już Warszawy...
>
> Ale byłem sam, widziałem,
> Choć tęskniejsza, łzawa,
> Choć nie taka, jak ją znałem,
> Ale jest Warszawa!
>
> Wszędy ludno, wszędy tłumnie,
> Aż oczom ciekawie.
> I król Zygmunt na kolumnie
> Jak dawniej w Warszawie...

Warto też — przy odbudowanym Zamku — przypomnieć słowa generalnego konserwatora prof. Jana Zachwatowicza na Ogólnopolskiej Konferencji Historyków Sztuki w Krakowie w 1945 r.:

,,Znaczenie zabytków przeszłości dla narodu z drastyczną jaskrawością uwypukliły doświadczenia ostatnich lat, kiedy Niemcy, pragnąc zniszczyć nas jako naród, burzyli pomniki naszej przeszłości.

Bo naród i pomniki jego kultury to jedno. Z tej politycznej tezy wynikają zasadnicze wnioski...

Nie mogąc zgodzić się na wydarcie nam pomników kultury, będziemy je rekonstruowali, będziemy je odbudowywali od fundamentów, aby przekazać pokoleniom, jeżeli nie autentyczną, to przynajmniej dokładną formę tych pomników, żywą w naszej pamięci i dostępną w materiałach...

Zabytki bowiem nie są potrzebne wyłącznie dla smakoszów, ale są to sugestywne dokumenty historii w służbie mas...

Wymowa kształtu architektonicznego jest niezależna od tego, kiedy go wykonano.''

WSZYSCY ZGODNIE — POLACY W KRAJU I POLACY ROZPROSZENI PO ŚWIECIE — PRAGNIE-
MY PODNIEŚĆ Z GRUZÓW ZNISZCZONĄ PRZEZ WROGA WIELKĄ HISTORYCZNĄ PAMIĄTKĘ
— SYMBOL TRWAŁOŚCI I JEDNOŚCI NARODU. *Apel,* styczeń 1971 r.

39. Meldunek złożony 19 lipca 1974 r. w imieniu załóg pracujących przy rekonstrukcji Zamku:
„Odtworzyliśmy mury zamkowe w historycznie wiernym kształcie, zgodnie z wiedzą, doświadczeniem,
talentem polskich uczonych, projektantów, konserwatorów, robotników budowlanych i rzemieślników."

40. Zbiór wycinków gazetowych z pierwszych tygodni po owym dniu 21 stycznia 1971 r., kiedy to środki ▷
masowego przekazu przyniosły wiadomość o decyzji odbudowania Zamku.

Prasa przedrukowywała wypowiedzi pełne radości i miłości. Za wyrazami uczuć poszły konkretne zobowią-
zania. Poszedł grosz ofiarny. Poszły dary i różne prace wykonane społecznie. Odbudowa zamku stała się
wspaniałym dowodem polskiej ofiarności, a także siły, zrozumienia wspólnej sprawy, dobrej organizacji pracy.

NIECH KAŻDA ZŁOTÓWKA BĘDZIE SYMBOLEM PRZYWIĄZANIA DO TRADYCJI NARODOWYCH I POCZUCIA WIĘZI NARODOWEJ WSZYSTKICH POLAKÓW. *Apel*, styczeń 1971 r.

41.–48. Społeczne fundusze na odbudowę Zamku gromadzono różnymi sposobami. Indywidualni i zbiorowi ofiarodawcy nadsyłali pieniądze na adres Obywatelskiego Komitetu Odbudowy Zamku. Bezimienne datki sypały się do niezliczonych skarbonek w całym kraju. Organizowano loterie fantowe (przodowała warszawska Wola), ciągnienia gier liczbowych i różne formy zbiórek. Poza granicami kraju zarejestrowano 23 znaczniejsze Komitety Odbudowy Zamku. Faktycznie działało ich ponad 80 — ich inicjatorami byli najczęściej działacze polonijni.

49.–50. Nie dowiemy się nigdy, ile osób dało swój serdeczny wkład wrzucając pieniądze do skarbonek.

Skarbonkę z pl. Zamkowego opróżniano dziesiątki razy. A bywało w niej za każdym razem blisko 700 kilogramów pieniędzy. Słynna „kryształowa latarnia" wędrująca po całej Polsce zebrała ogromne sumy. Skarbonkę-sztafetę przekazywano z zakładu do zakładu pracy. Każda wpłata była i jest równie cenna, bez względu na kwotę. Te drobne bywały czasem najcenniejsze. Dzieci z podgórskiej wioski przez cały miesiąc odmawiały sobie cukierków, by zaoszczędzone złotówki przesłać na Zamek. Sędziwa nauczycielka ze swej ówczesnej osiemsetzłotowej emerytury „starego portfela" przesyłała co miesiąc 100 złotych. Najdawniejszy w Polsce krwiodawca z Poznańskiego i liczni młodzi ludzie oddawali krew, a uzyskane za to pieniądze przekazywali na Zamek.

Trzeba jednak środków na dalsze wyposażenie sal, na podnoszenie klasy zbiorów. Zbiórka trwa.

NIECH KAŻDY WNIESIE PO CEGLE, A RAZEM STWORZYMY Z ODBUDOWANEGO ZAMKU NOWY WIELKI SYMBOL NARODOWEJ JEDNOŚCI. *Apel*, styczeń 1971 r.

51.–53. Napływały i napływają dary dla Zamku. Są wśród nich i symboliczne „cegiełki", i prawdziwe cegły, których tysiące sztuk wykonano w czynie społecznym, i barwne gobeliny, i precyzyjnie z drewna wykonana makieta Zamku, i kunsztowny zegar umieszczony na Wieży Zygmuntowskiej. Są wyroby ze złota i srebra, biżuteria, meble, przedmioty o wielkiej wartości historycznej i muzealnej, obrazy, rzeźby. Są dzieła sztuki ofiarowane przez współczesnych plastyków, które — sprzedane na aukcji — zasiliły fundusz odbudowy.

W Księdze Darów Rzeczowych wpisuje się wciąż nowe pozycje, przedmioty wchodzące w skład wyposażenia Zamku, dzieła sztuki, pamiątki, mające ogromną wartość, której nie sposób dokładnie określić. Do początku roku 1989 odnotowano w Księdze Darów między innymi 251 obrazów, 73 rzeźby, 234 grafiki, 359 mebli, 112 tkanin, 6047 numizmatów. Wśród ofiarodawców — ponad 1000 obywateli polskich z kraju, 130 instytucji krajowych, 36 instytucji zagranicznych, 28 rządów państw obcych, 211 osób z zagranicy.

54. Poświęcona Zamkowi wystawa w Muzeum Narodowym w 1971 r. w osobnym dziale zaprezentowała „Dary na Zamek Królewski w Warszawie".
Muzeum organizowało potem dalsze wystawy, które ukazywały napływające wciąż dary.

55. Medal wręczany osobom szczególnie zasłużonym dla odbudowy Zamku wybiła bezinteresownie Mennica Państwowa.
Samych dyplomów-podziękowań za wpłaty pieniężne i dary rzeczowe wypisano ponad 150 tysięcy.

56. Ofiarowywano i przedmioty, które ongi znajdowały się na Zamku, a potem burzami historii zostały rozproszone po różnych miejscach. Oto darowana dla Zamku cukiernica i świecznik Augusta II i Augusta III Sasów.

57.–58. W pięć miesięcy po ogłoszeniu decyzji Odbudowy — 20 czerwca 1971 r. — warszawscy księgarze już mogli na placu Zamkowym sprzedawać pierwszy zamkowy album wykonany jako dar na odbudowę Zamku przez autorów, konsultantów, wydawców i drukarzy. Wojciech Żukrowski napisał: „Przeglądam ten album z prawdziwym wzruszeniem... Macie w ręku dowód głębokiego patriotycznego przywiązania do przeszłości, ukochania Warszawy... na prowizorycznie ustawionym straganie autorzy podpisywali ponad dwa tysiące egzemplarzy — gdybym nie widział, nigdy bym nie uwierzył. Miłośnicy historii dreptali w długim ogonku. Prosili o podpisy i dedykacje dla siebie, a także dla krewnych często na krańcach globu..."

**WŁASNYMI ŚRODKAMI ZE-
BRANYMI PRZEZ SPOŁE-
CZEŃSTWO I NASZĄ WŁAS-
NĄ PRACĄ ODBUDUJEMY
ZAMEK.** *Apel*, styczeń 1971 r.

59.–61. Do prac społecznych
zgłaszało się przez cały czas
więcej chętnych, niż ich mógł
pomieścić plac budowy.

Latem i zimą, w upał i deszcz
pracowali młodzi i starzy, wojsko i cywile, mężczyźni i kobiety, mieszkańcy Polski oraz
goście z całego świata.

Najwięcej godzin społecznie
poświęcono prostym pracom
na placu budowy Zamku.

62. Awers medalu wręczanego „Ofiarodawcy" za szczególne zasługi dla odbudowy Zamku.

63. Bezpośrednio na Zamku około 100 000 osób przepracowało społecznie ponad 400 000 godzin przy odgruzowaniu i robotach ziemnych.

Kiedy zaś prace konstrukcyjno-budowlane wymagały już wyspecjalizowanej załogi — liczne działania pomocnicze nadal wykonywano społecznie.

Szczupłe etatowo biuro Obywatelskiego Komitetu Odbudowy nie poradziłoby sobie bez grupy społeczników, którzy ewidencjonowali dary pieniężne i rzeczowe.

Wśród tych cichych pomocników były osoby, które dla Zamku przepracowały społecznie powyżej dwunastu tysięcy godzin.

Wiele też prac projektowych, obliczeniowych, statystycznych oraz ekspertyz naukowych wykonano jako bezinteresowny wkład w odbudowę Zamku.

64.–65. Okruchy przeszłości. Orzeł na pieczęci Siemowita III mazowieckiego. Najstarszy (acz dopiero z 1589 r.) widok warszawskiego Zamku: piastowski Dwór Większy *Curia Maior*, potem rozbudowany.

66. Łopatka archeologa wiernie towarzyszyła dziełu odbudowy. Potwierdziła, że książęcy gródek obronny powstał tu w końcu XIII w. i że — związany z osadą Warszowa — rychło urósł w znaczenie.

67. Ocalałe przyziemie Wieży Grodzkiej. Dawniejsza Wieża Wielka *Turris Magna*, w początkach XIV w. przez Piastów mazowieckich wzniesiona. Krzepko w ziemię Mazowsza wparta głazami i cegłą. Pamiętająca, że w Warszawie w 1339 r. sąd papieski nakazał Krzyżakom, aby zagrabione ziemie zwrócili Kazimierzowi ▷ Wielkiemu.

68. XV-wieczny most gotycki odkryty w 1977 r. przy przebudowie placu Zamkowego.

Dawny wjazd do Warszawy od strony Krakowa, poprzez fosę ciągnącą się wzdłuż murów Starego Miasta.

69. Widziany z dziedzińca Zamku fragment odbudowanej ściany gotyckiego Dworu Większego.

Dwór Większy *Curia Maior* został wzniesiony w XV w. przez zasłużonego w zwycięstwie grunwaldzkim, mądrego władcę Mazowsza Janusza I (dobrze nam znanego z *Krzyżaków* Sienkiewicza).

Jego syna Bolesława IV szlachta zebrana na sejm koronacyjny w Piotrkowie w 1446 r. obrała królem na wypadek, gdyby młody Kazimierz Jagiellończyk nie dotrzymał przyrzeczonych podczas swej elekcji warunków.

Ten jednak silną ręką wziął władzę i nad Litwą, i nad Koroną, do której zwolna, ale systematycznie wcielał różne mazowieckie ziemie.

70. Prawnuk Janusza I — Konrad III książę mazowiecki. Zdolny, energiczny i gospodarny, z warszawskiego grodu tak jak ojciec ambicjami sięgał polskiego tronu, co przypłacił niekorzystnymi warunkami hołdu lennego, jakie mu narzucił królem obrany Jan Olbracht Jagiellończyk.

Gwałtownie broniący samodzielności Mazowsza, Konrad III wyzwał Olbrachta na pojedynek rycerski. Król jednak zmarł. Rychło zaś i *dux Masoviae* rozstał się z życiem.

71. Stanisław i Janusz III, synowie Konrada, władzę na Mazowszu przejęli w 1518 roku, po kilkunastoletniej regencji Konradowej wdowy Anny z Radziwiłłów. Słynęła ona raczej z siły charakteru i gospodarności niźli z cnót (i Konrada za życia nie cechowała asceza). Ostatni książęta mazowieccy po rodzicach odziedziczyli temperamenty; nie zdążyli jednak wykazać, czy odziedziczyli i talenty.

Uderzyły gromy niespodziewanych zgonów: Stanisław — 1524 r., Janusz III — 1526 r. Czarna legenda uparcie mówiła o truciźnie. Sąd twierdził, że śmierć nastąpiła bez niczyjej winy. Nigdy się nie dowiemy, jak było naprawdę w owe bujne lata przechodzenia od średniowiecza do renesansu.

72. Najokazalsze w Zamku, najokazalsze w Warszawie — szczęśliwie zachowane autentyczne gotyckie wnętrze.

Pozostałość XV-wiecznego Dworu Większego, jego najniższa kondygnacja, dziś podziemna.

Piastowski murowany Dwór Większy *Curia Maior* tak się potem wtopił w wazowski pięciobok, że zatarła się pamięć o nim.

Adam Jarzębski w 1643 r. ogłaszając swój *Gościniec albo krotkie opisanie Warszawy* ze świętym przekonaniem twierdził, że przed Wazami na Zamku „Nic nie było murowania, Jedno z drzewa budowania".

Ale oglądany tutaj mur — równie potężny i krzepki jak mury jeszcze starszej Wieży Wielkiej *alias* Grodzkiej — są nie do obalenia świadectwem, z czego zbudowano dwór Piastów.

Zachowana w podziemiu przestronna sala została założona na kwadracie o boku 10,3 m. Przykryta czterodzielnym sklepieniem krzyżowym wzmocnionym gurtami, wspartymi na ośmiobocznym słupie. Umocniona prostokątnym filarem.

Ongi zapewne oświetlona oknem, potem zamurowanym, kiedy poziom dziedzińca uległ podwyższeniu. Ślad portalu wskazuje, że mogło tu kiedyś być i wejście wprost z dziedzińca.

Nie wiemy i nie dowiemy się, co znajdowało się w owej najniższej kondygnacji Dworu Większego.

Jedni snują przypuszczenia — poparte śladem portalu i oknem — że był tu skład win i miodów. Inni — wskazując na pozostałość komina — głoszą, że był tu skarbiec książęcy.

Wyobraźnia chętniej przyjęłaby to drugie mniemanie, umieszczając w nastrojowym wnętrzu zasoby znane ze spisanego w 1494 r. rejestru książęcego skarbca:

Relikwiarze. Wieniec złoty. Rzędy końskie szyte srebrem i złotem, wysadzane klejnotami. Siodła srebrne złocone. Pierścienie. Klamry. Spinki z wielkich pereł i diamentów lub zdobione szmaragdami, rubinami i szafirami. Bogate „zawieszenia". Futra. Materie kosztowne. Insygnia władzy książęcej: pięć mitr zdobionych złotem i perłami. Kołnierz perłami wyszyty. Szuby podbite sobolami. Miecz pozłocisty.

73. Odtworzona sala o jednym słupie w obecnym przyziemiu — znajdująca się ponad ocalałą salą gotycką w obecnej piwnicy — została poświęcona Piastom mazowieckim jako pierwszym gospodarzom Dworu Większego.

74. Klejnoty na renesansowym portrecie przyozdobionym napisem: *„Sophia neptis Conradis III ducis Masoviae"* „Zofia wnuka Konrada III księcia Mazowsza". Klejnoty już niemodne w drugiej połowie XVI w. Dumna spadkobierczyni Piastów na pewno nie wzięła ich przypadkowo, kiedy pozowała do hieratycznego portretu. Można więc przypuszczać, że przystroiła się w rodowe precjoza ze skarbca Piastów...

75. A oto właśnie owa Zofia — *primo voto* Tarnowska, *secundo voto* Kostczyna — córka wydanej za Odrowąża Anny, ostatniej z dynastii mazowieckich Piastów.

76. W blasku mitr książęcych Anna, córka Konrada III. Po śmierci Stanisława i Janusza sejm mazowiecki zebrany w Warszawie na Zamku 28 kwietnia 1526 r. powołał na tron ich siostrę Annę, która przybrała tytuł „jedynej księżny dziedziczki mazowieckiej" i „dziewicy z łaski bożej księcia Mazowsza".
Zygmunt I Stary — zgodnie z prawem głoszącym, że w przypadku braku męskiego sukcesora lenno przechodzi w ręce suzerena — 25 sierpnia 1526 r. odbył uroczysty wjazd do Warszawy. 10 września 1526 sejm mazowiecki złożył królowi przysięgę na wierność, a w 1529 r. obradował na Zamku sejm inkorporacyjny.

OWA ODROWA...A N... Cravie III. Ducis Mazovie
MA Cruel Vigore Bia KUSTCZYNA Palat Sand... Fundatoris Galli...
AVIA C...us...

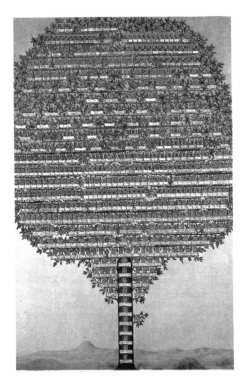

77.–78. Oto drzewo rodowe Piastów, które korzeniami sięga bajecznej przeszłości, a rozrosłymi gałęziami i gałązkami jest wtopione w tło — mieniące się niby dziwna bańka mydlana.

Kiedy jednak zatrzymać spojrzenie na wybranym fragmencie, to nie wiadomo jak i skąd — objawia się przekazana sprzed wieków biel i czerwień.

W konarach rodowego drzewa: *Conradus dux Masoviae.* To Konrad I Mazowiecki, wnuk Krzywoustego, protoplasta Piastów małopolskich, kujawskich i mazowieckich, a więc protoplasta Łokietka i Kazimierza Wielkiego, a także owych książąt, którzy na wiślanej skarpie wznieśli budowle będące zaczątkiem przyszłego Zamku Królewskiego w Warszawie.

79.–99. W najniższej kondygnacji *Turris Magnae* Wieży Wielkiej — w zachowanej więziennej izbie bez okien — smuga światła odkrywa w różnych miejscach wyskrobane na cegłach znaki. Czekają one badacza, który rozwikła wszystkie ich tajemnice.

Ciekawość wprowadza własny porządek, własne interpretacje. Oto u góry: „podkowa", „kusza i koń", „zamek". Niżej: „tur", „łoś", „sarna wychodząca z lasu". Jeszcze niżej: „łeb jelenia", „łeb zwierzęcia na tarczy herbowej", „herb". W rzędzie środkowym: „zwierzę w sieci", „rogal", jeż". Dalej coś, co przypomina „nożyczki". Potem różne gmerki czy znaki herbowe. Jest też data: 1636.

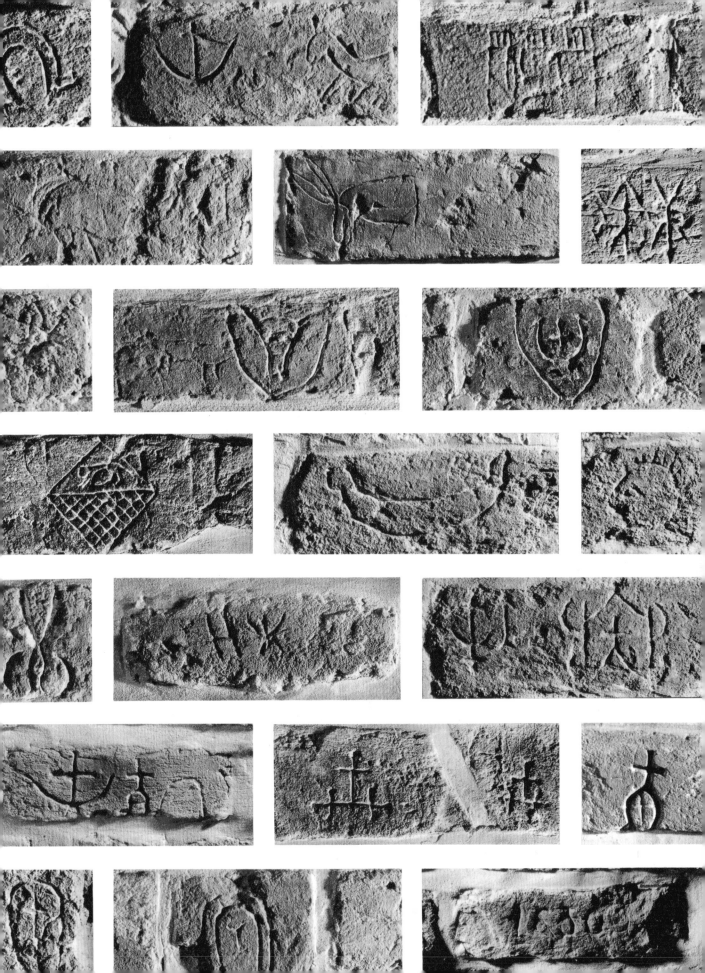

100.–102. W 1915 r., podczas I wojny światowej, ledwie opuściły Warszawę wojska i administracje car-skie, już pieczę nad Zamkiem objęło Towarzystwo Opieki nad Zabytkami Przeszłości — wbrew panoszeniu się pruskiego Generalnego Gubernatorstwa. Od 1915 r. — dokumentarne zdjęcia, opisy, inwentaryzacje. Tajemnice wiekowych murów jeszcze kryją się pod tynkami.

Działa wnikliwy badacz Kazimierz Skórewicz. W 1921 r. objawi się w pełni „elewacja podwórza jako wspa-niałe lico średniowiecznego zamku..." „Zdobią ją wnęki obramowane cegłą profilowaną, tworząc ślepą ar-kadę o proporcjach szlachetnych, o smukłych filarach, ożywioną u szczytu parą ostrołuków zagłębionych... Do komnat pierwszego piętra prowadziły z podwórza schody, ozdobne wejście było obramowane cegłą profilowaną... podziemia dla miodów i więźniów, a na piętrze pokoje panującego..." (K. Skórewicz.)

103. Ostatni władcy książęcego Dworu Większego. Stanisław. Janusz. Anna. Ta, która po śmierci braci zwać się kazała „księciem Mazowsza". Ta, która zapewne ów wspólny portret zamówiła, dzięki czemu i każdy z nas może powiedzieć — jak Adam Jarzębski w 1643 r. — „widzę mazowieckie dawne książęta".

104. (Ilustracja na następnej stronie.) Pożegnalne spojrzenie na autentyczny, Piastów mazowieckich
pamiętający mur Dworu Większego. Czas II wojny światowej. Zdjęcie wykonane — wbrew zakazom okupanta
— w 1940 czy 1941 r. Niektóre publikacje podają, że to zdjęcie sprzed 1939 r. A przecież dopiero zawie-
rucha wojny zmiotła dach sponad ścian, pociskiem wyszarpała ościeże renesansowego okna wprawionego
przed wiekami w gotyckie cegły, przy południowym skrzydle Zamku obaliła balkon (którego kroksztyny zostały), wgryzła się w mur przyziemia czarnymi otworami wywierconymi przez świdry niemieckich minerów,
zapowiadającymi ładunki dynamitu, zburzenie...

105.–106. Zegarek na portrecie wnuczki Piastów mazowieckich, córki ostatniej z mazowieckich księżniczek Anny. Zegarek Zofii Odrowążówny *primo voto* Tarnowskiej.
Zegarek na portrecie opiekuna Zofii i późniejszego jej teścia. Zegarek Jana Tarnowskiego, hetmana koronnego, współbudowniczego potęgi Jagiellonów.
Zegarki na obrazach z XVI w., które dziś wiszą w zespole komnat jagiellońskich w przybudowanym do Dworu Większego północno-wschodnim nadwiślańskim skrzydle, czyli w Domu Nowym Królewskim.
Przeminął czas dworu książęcego, zaczął się czas królewski. Zygmunt Stary, wcieliwszy lenno mazowieckie do Korony, w murach Zamku odebrał w 1526 r. przysięgę od przybyłej z całego Mazowsza szlachty.
Może już za Zygmunta Starego zaczęto rozbudowę Zamku, z rozmachem poprowadzoną dalej przez Zygmunta Augusta, który Warszawę uczynił siedzibą sejmu walnego.
Lutnia Jana Kochanowskiego głosiła:

> To jest on brzeg szczęśliwy, gdzie na czasy wieczne
> Litwa i Polska mają sejmy mieć społeczne.
> A ten który to wielkim swym staraniem sprawił,
> Aby więc już żadnego wstrętu nie zostawił,
> Wisłę, która nie zawżdy przewoźnika słucha,
> Mostem związał...

107. W opublikowanym w 1589 r. wydaniu sejmowych statutów i przywilejów ukazał się wykonany przez anonimowego drzeworytnika najstarszy znany wizerunek Zamku — po rozbudowie jagiellońskiej, a przed powstaniem pięcioboku wazowskiego.
108. Miedzioryt A. Hogenberga wedle rysunku J. Hoefnagla — acz wydrukowany dopiero w 1618 r. (w dziele G. Brauna *Orbis terrarum...*) — powtarzał panoramę Warszawy z końca XVI w.
Ponad Zamkiem widać orła Jagiellonów z literami SA *Sigismundus Augustus* na piersi.

VARSOVIA.

CONSTITVCIE
SEYMV WALNEGO
WARSZAWSKIEGO.

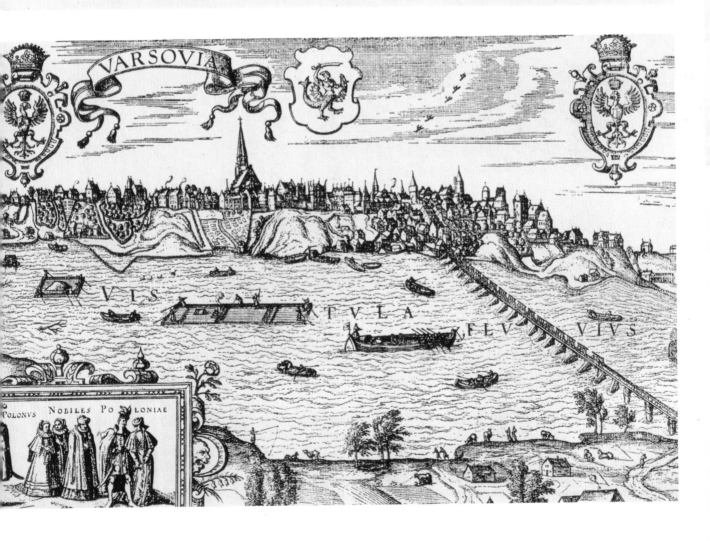

VARSOVIA

VIS TVLA FLV VIVS

POLONVS NOBILES POLONIAE

109.–110. W ostrołukowej wnęce ściany Dworu Większego Orzeł Biały z inicjałami króla SA na piersi. Niżej Pogoń i herb żony króla Katarzyny Austriaczki. Dla oświetlenia od zachodu Izby Senatorskiej wybito otwory okienne w ścianie Dworu Większego harmonizujące z oknami nowowzniesionego renesansowego skrzydła. Uszkodzono przy tym ostrołuki gotyckie. Malowidło przypominające oddaloną przez króla Katarzynę rychło pokryto tynkami, tak samo jak i całą ścianę. Godło jagiellońskie — odsłonięte w 1921 r. — odtworzono obecnie na zrekonstruowanym murze gotyckim.

111.–112. Komnata Pierwsza z zespołu sal jagiellońskich w przyziemiu odbudowanego Domu Nowego JKM (który częściowo się wspiera na piwnicy
zachowanej z doby renesansu).

W jagiellońskim Domu Nowym Króla Jego Miłości wita wchodzących cykl
miniatur portretowych wedle Cranacha.

W rzędzie górnym: Zygmunt Stary, Izabela Jagiellonka, królowa Bona,
Anna i Katarzyna Jagiellonki.

Rząd dolny zaczyna czwarta z sióstr Zygmunta Augusta, Zofia.

Potem on we własnej królewskiej osobie.

Dalej trzy jego małżonki; dwie z rodu Habsburgów: Elżbieta i Katarzyna,
niekochane; między nimi zaś owa najukochańsza, legendarna: Barbara
Radziwiłłówna.

113.–121. Sklepione izby zespołu sal jagiellońskich w przyziemiu Domu Nowego Króla Jego Miłości, komnaty dworskie. (Rezydencją monarchy było piętro, *plano nobile.*) Przywoływanie wspomnień, nastroju, urody Złotego Wieku. Komponowanie wnętrz z pieczołowicie dobieranych sprzętów, obrazów, rzeźb i tkanin powstałych w dobie renesansu.

Komnata Wtóra. Komnata Trzecia. Komnata Główna. Od góry do dołu, jak klatki filmu. Wnętrze o charakterze kancelaryjnym. Jadalnia. Pomieszczenie recepcyjne w apartamencie mieszkalnym.

Znów wzrok przesuwa się z góry do dołu. Reprezentacyjne portrety *en pied:* Zygmunt Stary i królowa Bona. Zygmunt August w kołpaku Wielkiego Księcia Litwy. Wisior w kształcie orła — pozostałość arcybogatej kolekcji klejnotów Zygmunta Augusta.

Łożnica i przylegający do niej alkierz, urządzone wedle upodobań ludzi XVI wieku.

122.–124. Zygmunt August polubił Warszawę i Zamek. (Krakowa ni razu nie odwiedził przez ostatnie dziesięć lat życia). Tu — opłakując zmarłą Barbarę — spoglądał pono w czarnoksięskie *speculum,* zwierciadło Twardowskiego, aż w nim warszawską mieszczkę Basię Giżankę zobaczył.

Tu na ścianach rozwieszać kazał niezliczone, różnotematyczne opony lubo szpalery, zwane też po włosku *arazzi.* Owe bezcenne arrasy w testamencie zapisał Rzeczypospolitej.

Ta najstarsza polska kolekcja państwowa w ciągu wieków bywała świadkiem triumfów Państwa, bywała jako fant oddawana w zastaw. Po trzecim rozbiorze zabrana do zbiorów carskich, zwrócona przez Rosję Radziecką, została przywieziona do Polski w latach 1921–1925. Decyzją rządu większość arrasów udekorowała wtedy puste po zaborach wnętrza wawelskie.

Cztery arrasy z wykonanej na zamówienie Zygmunta Augusta w Brukseli w latach 1550–1554 serii krajobrazowo-zwierzęcej zawisły w Zamku Królewskim w Warszawie.

„Zagrabione zostały przez Niemców w 1939 r. Udało się je odkupić podczas okupacji za pieniądze zebrane potajemnie wśród społeczeństwa polskiego.'' (S. Lorentz.) Przetrwały. Doczekały się powrotu na odbudowane ściany Zamku.

125.–128. **Anna Jagiellonka jako wdowa. Królewska korona na stole. Królewska korona nad herbem Rze- czypospolitej, na tarczy sercowej mającym smoka Sforzów. Litery: A — J — D — G — R — P — MD — L.** *Anna Jagiellona Dei Gratiae Regina Poloniae Magna Ducissa Lithuaniae.* **Anna Jagiellonka z Bożej Łaski Królowa Polska Wielka Księżna Litewska.**

Na wcześniejszym portrecie Anny (widocznym w Sieni Skośnej poprzez Sień Ciemną, obwieszoną portretami ówczesnych władców Europy) też podkreślono insygnia królewskie — pewnie na jej rozkaz.

Duma królewska na przekór wspomnieniom o goryczach i upokorzeniach: o 22-letnim Henryku Walezym, który gorszył opinię kolczykiem w uchu, swobodą obyczajów, wykręcaniem się od ślubu z 50-letnią oblu- bienicą — aż styczniową nocą 1574 r. opuścił Polskę w pogoni za koroną Francji; o przydanym Jagiellonce za małżonka na elekcji 1575 r. siedmiogrodzkim Stefanie Batorym, który z pożytkiem dla Polski nie chciał być „królem malowanym", ale aż do swej nagłej śmierci w 1586 r. raczej omijał Warszawę i Annę.

Jan Kochanowski, którego właśnie możemy zwać
Oycem języka POLskiego.

◁ 129.–131. Ostatnie spojrzenie w Dom Nowy Króla Jego Miłości: Sień Panien Dwornych — wspomnienie fraucymeru królowej. Sień ku Wiśle — taka jak mogła wyglądać w XVI wieku sień służąca powitaniom i pożegnaniom gości. W Sieni ku Wiśle renesansowy kominek, który był w Zamku przed 1939 r.

132.–133. Muzami otoczony imaginacyjny wizerunek Jana Kochanowskiego w *Gnieździe cnoty* B. Paprockiego z 1578 r. oraz przywieziony z dalekiej Italii kamienny wspornik z herbem Sforzów.

Ze Złotego Wieku w najdalszy czas brzmią słowa poety:

Cnotę miłuj a godność, bo tym państwa stoją,
Kiedy dobrzy są w wadze, a źli się zaś boją.

134. Fragment miedziorytu A. Hogenberga: ludzie doby jagiellońskiej i batoriańskiej: *Miles Polonus. Nobiles Poloniae.* Rycerz polski. Szlachta polska.

135. Sala o trzech słupach — dziś znana jako Izba Poselska Dawna, o tradycji jagiellońskiej i wazowskiej — w okresie międzywojennym została wyposażona w piękne meble z XVI w.

Renesansowe sale w przyziemiu Dworu Większego przed 1939 r., odtworzone podczas odnowy Zamku, bywały użytkowane przez uroczystych gości Prezydenta Rzeczypospolitej.

Dwór Większy od czasu Piastów mazowieckich służył publicznej potrzebie — jako siedziba władcy, miejsce obrad sejmowych.

Zygmunt August zlecił prace na Zamku znakomitym architektom G.B. Quadro i J. Pario. Powstały „królewskie pokoje murne", była też i część prowizoryczna, gdzie były „pokoje królewskie drzewiane".

Niektórzy badacze twierdzą, że już za ostatniego Jagiellona planowano i zaczęto wieloboczny zamek dookoła dziedzińca.

Pewne jest, iż Zygmunt August kazał przekształcić Dwór Większy — o dwuwiekowej tradycji sejmów mazowieckich — w siedzibę sejmu walnego Korony, a od 1569 sejmu Rzeczypospolitej Obojga Narodów, z Izbą Poselską w przyziemiu, Izbą Senatorską *alias* Wielką Izbą Radną na piętrze.

Warszawa od 1573 r. stała się też miastem elekcji.

Na poprzedzającym elekcję Walezego sejmie konwokacyjnym 28 stycznia 1573 zawiązano Konfederację Warszawską, która zapewniła gwarancję wolności wyznaniowej w Polsce.

Właśnie w murach Zamku przyjęto uchwałę, aby „wolno każdemu wedle sumienia jego wierzyć".

Wpośród ówczesnej ogarniętej fanatyzmem Europy Konfederacja Warszawska głosiła: „A iż w Rzeczy Pospolitej naszej jest niezgoda niemała w sprawie religii chrześcijańskiej, zabiegając temu, aby się z tej przyczyny między ludźmi rozterka jaka szkodliwa nie wszczęła, którą po innych królestwach jaśnie widzimy, obiecujemy to sobie spolnie za nas i potomków naszych na wieczne czasy pod rygorem przysięgi, wiarą, poczciwością i sumieniem naszym, iż którzy jesteśmy *dissidentes de religione*, pokój między sobą zachować, a dla różnej wiary i odmiany w kościelech krwie nie przelewać ani się penować konfiskatą dóbr, poczciwością, więzieniem i wygnaniem, i zwierzchności żadnej ani urzędowi do takowego progressu żadnym sposobem nie pomagać..."

136. Sala o trzech słupach na dokumentarnym zdjęciu z czasów okupacji hitlerowskiej. Puste, wyrabowane wnętrze. W gotyckich murach złowróżbnie czernią się otwory wywiercone przez minerów niemieckich.

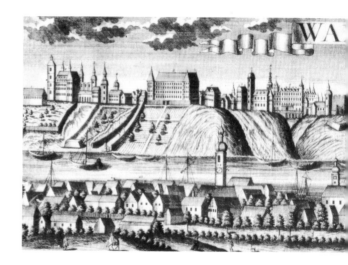

139. XVII-wieczny drzeworyt ukazujący posiedzenie jednego z sejmów walnych za Zygmunta III. W Izbie Senatorskiej, czyli Sejmowej, trzy stany: Król na majestacie. Senatorowie zasiadający w fotelach i krzesłach. Zgromadzeni wokół posłowie ze stanu rycerskiego (którzy tu przeszli na piętro z Izby Poselskiej w przyziemiu).

„Rzeczpospolita sejmem stoi" było hasłem powszechnie wtedy akceptowanym w poglądach politycznych i w praktyce rządzenia. Cień *liberum veto* nie ciążył jeszcze na demokracji szlacheckiej.

▽

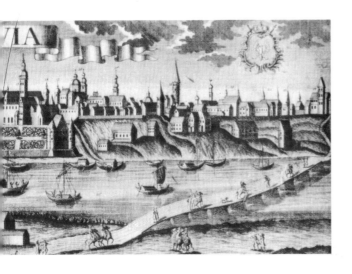

137. Donatywa Zygmunta III Wazy, syna Katarzyny Jagiellonki i króla Szwecji.

138. *Varsovia* — sztych Probsta, XVII w. W 1596 r. Zygmunt III po dwukrotnym pożarze, który spustoszył Wawel, przybył do Warszawy, aby wydać pierwsze dyspozycje w sprawie rozbudowy Zamku Warszawskiego. Od 1611 r. zamieszkał tu wraz z dworem. Wnet po królu ulokowały się w Zamku najważniejsze urzędy państwowe: kanclerski, podskarbiński oraz marszałkowski. W ciągu dwudziestu lat 1599–1619 na rozkaz króla powstała rezydencja godna władcy potężnego wówczas państwa.

140. Miedzioryt T. Makowskiego wedle ówczesnego obrazu T. Dolabelli: w Izbie Senatorskiej Zamku w 1611 r. hetman Stefan Żółkiewski prezentuje wziętego do niewoli cara Wasyla Szujskiego z braćmi.
W Zamku elektorowie brandenburscy składali hołdy lenne z Prus Książęcych, składali hołdy książęta kurlandzcy.
Zamek — rezydencja monarchy, siedziba władz wykonawczych i obu izb ustawodawczych, widownia życia politycznego i miejsce ceremonii państwowych — stał się widomym znakiem państwowości polskiej.

▽

141.–144. Od 1644 r. z wysokiej kolumny spoglądała na Warszawę spiżowa postać (dzieło architekta K. Tencalli, rzeźbiarza C. Molli, odlew gdańsko--warszawskiego ludwisarza D. Tyma).

Kolumna Zygmunta, którą ojcu wystawił Władysław IV, stała się najcharakterystyczniejszym widokiem Warszawy, symbolem Stolicy — niezależnie od krytycznej oceny rzadkich politycznych osiągnięć i częstych błędów króla.

To Słowacki właśnie o „strunę kamienną" Kolumny Zygmunta bił pieśnią, nasłuchując, kiedy w odzew buchnie gniew wyzwoleńczy staromiejskiego ludu.

To Cyprian Kamil Norwid „Zygmuntowy w chmurze miecz" niezapomnianą frazą wpisał w świadomość pokoleń.

Wróg chcący zniweczyć nasz naród — uderzył w Warszawę, uderzył w Kolumnę.

Był rok 1944. Trzysta lat od wzniesienia kolumny Zygmunta — pomnik legł wśród ruin Miasta.

Ale Warszawa nie stała się tylko „geograficznym punktem na mapie", jak tego chciał Hitler.

Ledwie w styczniu 1945 r. Warszawa została wyzwolona, ledwie przetoczył się front — już do tego miejsca nad Wisłą zaczęły ściągać pielgrzymki ludzi, brnąc po śniegu i lodzie. Patrzyli na gruzy Warszawy i widzieli w nich swój dom. Patrzyli na gruzy Zamku i widzieli w nich gruz święty. Patrzyli na obalony posąg króla i widzieli w sobie dziedziców tego, co w przeszłości było dobre, wielkie.

Fundusz na odbudowę Kolumny powstał dzięki ofiarności społeczeństwa. Plan rekonstrukcji dostarczył konserwator generalny PRL.

22 lipca 1949 nastąpiło uroczyste odsłonięcie zrekonstruowanego z wojennych uszkodzeń pomnika Zygmunta — który umieszczono na 22-metrowej kolumnie granitu pochodzącego z kopalni Strzegom na Dolnym Śląsku (wazowska kolumna była z marmuru chęcińskiego)...

I znów — jak na sztychu W. Hondiusa rytowanym w 1646 r. wedle rysunku A. Locciego (który nie tylko pokazał wyniosłość kolumny, ale też jej przywożenie do Warszawy i kunsztowne ustawianie przy Zamku) — stoi w Warszawie Kolumna Zygmunta.

Ongi za tło miała Bramę Krakowską i zabudowania Dziedzińca Przedniego, na którego miejscu w XIX w. powstał plac Zamkowy.

Dziś za tło ma odtworzone zachodnie skrzydło wazowskiego Zamku — najdłuższe, liczące ok. 90 metrów, o trzech kondygnacjach i dwudziestu okiennych osiach, o skromnych, wykwintnych formach wczesnego baroku — jaki nadali wówczas Zamkowi prowadzący prace budowlane i kamieniarskie G. Trevano, G. Rodondo, M. Castelli i P. del Corte. Pośrodku zachodniego skrzydła brama, nad nią górująca ponad dachami staromiejskich kamieniczek swą sześćdziesięciometrową wysokością Nowa Wieża Królewska — *Nova Turris Regia* — nazywana też Wieżą Zegarową albo po prostu Wieżą Zygmuntowską.

145. Odnaleziony w gruzach autentyczny kartusz herbowy znad wejścia do Wieży Władysławowskiej — z Orłem Białym mającym na piersi Snopek, herb Wazów, z łańcuchem Orderu Złotego Runa.

146. Zrekonstruowany okazały portal wiodący do Wieży Władysławowskiej.

Władysław IV, syn i od roku 1632 następca Zygmunta III, zastał po ojcu Zamek o bryle niemal całkowicie wykończonej — główną więc uwagę skupił na wzbogacaniu wewnętrznej świetności swej rezydencji.

Nie rezygnował jednak z troski o wygląd zewnętrzny Zamku. Polecił obudować dawną zewnętrzną klatkę schodową wiodącą z Dziedzińca Wielkiego na piętro, do apartamentów królewskich i do Izby Senatorskiej. Tak powstała — zapewne wedle projektu K. Tencalli — barokowa ośmioboczna wieża zwieńczona hełmem z latarnią i iglicą, mająca piękny portal, a wewnątrz marmurowe schody, Wieża Władysławowska.

147.–151. Z Sieni Poselskiej w przyziemiu Dworu Większego otwiera się przez arkadę widok do umieszczonego w Wieży Grodzkiej gabinetu wazowskiego (kolor ścian przypomina heraldyczną barwę Wazów).

Uwagę przykuwają ośmioboczne obrazy na blasze — to wizerunki malowane przez P. Danckersa de Rijn na polecenie Władysława IV, który „chcąc zostawić w Zamku Warszawskim... pamiątkę familii swojej królewskiej, kazał wysłać marmurami ściany pokoju narożnego... i w nim obrazy postawić Jagiellończyków, Wazów i niektórych książąt rakuskich, z którymi miał pokrewieństwo" (A. Naruszewicz). Ocalałe wizerunki z owej „Familii Jagiellońskiej" — jak ją zwały dawne inwentarze — to Zygmunt August (nb. długi czas uważano, iż to podobizna Władysława Jagiełły), królowa Bona i arcyksiążę Karol Habsburg, ojciec dwóch żon Zygmunta III.

Nie znamy przedstawień wnętrz zamkowych z czasu Wazów poza ogólnikową ryciną ukazującą Salę Senatorską i poza miedziorytem wedle obrazu Dolabelli (ilustracje 139 oraz 140). Z licznych przekazów wiadomo jednak, że w owej dobie Zamek upodobnił się do galerii sztuki. Stały tam piękne meble. Były cenne tkaniny: arrasy zachodnioeuropejskie, kobierce perskie i tureckie; „...tapiserie królewskie są najpiękniejsze nie tylko w Europie, lecz i w Azji" (J. Le Laboureur). Zgromadzono klejnoty, drogocenne naczynia ze złota, srebra, bursztynu i kryształu górskiego oraz wyroby ze szlachetnych kruszców, rzeźby. Szeroko słynął Pokój Marmurowy, kunsztownie wyłożony gładzonym marmurem, przyozdobiony wizerunkami królów.

Szczególną zaś sławę zyskały malowidła pędzla najprzedniejszych twórców europejskich wypełniające Zamek. Niezależnie od zamawiania licznych dzieł u T. Dolabelli, nadwornego malarza przybyłego z Wenecji, Zygmunt III (który sam też pędzlem się parał) gromadził obrazy, zwłaszcza weneckie. Włoskie i niderlandzkie obrazy sprowadzał Władysław IV. Już w czasie podróży po Europie — którą odbył jako królewicz — kupował i otrzymywał obrazy, m. in. Guido Reniego i Guercina, Cranacha i Rembrandta, pozował do portretu Rubensowi i zamówił w jego pracowni liczne dzieła. Gdy po śmierci Rubensa rodzina malarza urządzała wyprzedaż zbiorów, dwór polski zakupił, po dworze hiszpańskim, największą ilość obrazów.

Władysław IV zamawiał za granicą tak wiele obrazów i rzeźb, że projektowano uruchomienie stałej morskiej komunikacji między Gdańskiem i jednym z portów włoskich. Okręty gdańskie wywoziłyby z Polski surowce, zwłaszcza wosk, a przywoziłyby obrazy i rzeźby.

152.–156. Sala o dwóch słupach: Sień Poselska Dawna, i sala o trzech słupach: Izba Poselska Dawna — w kształcie odtworzonym ze zniszczeń II wojny światowej oraz na archiwalnych zdjęciach z okresu okupacji. Widok otworów przygotowanych na ładunki dynamitu raz jeszcze przypomina, że obrócenie Zamku w perzynę nie było wynikiem przypadkowych działań wojennych, ale planowanym i konsekwentnie realizowanym pozbawianiem Polski pamiątek przeszłości.

Fotografia mnogich, przez współczesnego rzemieślnika precyzyjnie przygotowanych elementów, niezbędnych dla odtworzenia każdego ze świeczników wedle XVII-wiecznego wzoru — unaocznia mozół rekonstrukcji.

Niektórzy badacze twierdzą, że sala o dwóch słupach i sala o trzech słupach pierwotnie stanowiły wspólne pomieszczenie i że w miejscu obecnej ściany stał ongi po prostu jeszcze jeden słup (acz ściana była tu i przed 1939 r.).

W Izbie Poselskiej Dawnej rozstawienie ław i fotel dla marszałka uświadamia odwieczne przeznaczenie tego wnętrza.

Rymowany warszawski przewodnik Jarzębskiego z 1643 r. powiadał o Zamku:

> Tam się sejmy odprawują,
> Kto co ma z kim rozprawują.

Od 1569 r. ów „rozprawujący" sejm był głównym węzłem spajającym całość państwa.

Niektórzy królowie nie mówili po polsku, jak Henryk Walezy czy Stefan Batory, a potem August II i August III. Obrady Sejmu Rzeczypospolitej toczyły się w języku polskim, choćby z wtrętami łacińskimi.

Od pierwszego sejmu walnego aż po kres I Rzeczypospolitej odbyło się na Zamku Królewskim w Warszawie 147 sesji sejmowych. W dziejach naszego parlamentaryzmu bywały karty ciemne, od połowy XVII w. naznaczone piętnem *liberum veto* — ale były i karty złotem pisane.

157., 160. Dawna Kordegarda, a w niej na centralnym miejscu malowany przez anonimowego malarza w XVII w. obraz ukazujący Władysława IV w 1632 r. po uwolnieniu przezeń Smoleńska od oblężenia.

Z jednej strony tego obrazu — brat i następca Władysława IV: Jan Kazimierz. Z drugiej strony — księżniczka Ludwika Maria Gonzaga de Nevers, kolejno dwóm królewskim braciom poślubiona.

158. Izba Oficerska Dawna z portretem Władysława IV w stroju koronacyjnym (mal. A. Boy po 1636 r.). Urządzając zespół sal wazowskich, zgromadzono tu XVII-wieczne meble, tkaniny i obrazy.

159. Portret Jana Kazimierza namalowany znakomitym pędzlem D. Schultza, nadwornego portrecisty ostatniego Wazy, zdobiący *castrum doloris* zmarłego w 1672 r. — już po abdykacji — króla, potem włączony do „Familii Jagiellońskiej" w Pokoju Marmurowym.

Okres panowania Zygmunta III (1587–1632) i Władysława IV (1632–1648), okres największego terytorialnego rozwoju państwa i największego eksportu polskiego zboża, był nazywany Srebrnym Wiekiem dziejów polskich. Obfitował w ważkie wydarzenia, z których wiele odbywało się na Zamku, a wszystkie były z nim w większym czy mniejszym stopniu związane. Z Zamku byli wysyłani posłowie polscy i w nim przyjmowani ambasadorowie wszystkich państw ówczesnego świata, od Persji i Turcji po Anglię i Hiszpanię. Zwycięzcy wodzowie Stanisław Żółkiewski, Jan Karol Chodkiewicz czy Stanisław Koniecpolski tu przywozili zdobyte na nieprzyjaciołach sztandary. Z ogromnymi pocztami tu przyjeżdżali dumni senatorowie z Korony i Wielkiego Księstwa. Tu Władysław IV omawiał z wysłannikami kozackimi plany wojny tureckiej. Tu obradowały sejmy. Zamek warszawski uzyskał wówczas rangę pierwszego gmachu Rzeczypospolitej.

△

161. Południowe skrzydło Zamku z przylegającą doń Wieżą Grodzką — po odbudowie ze zniszczeń II wojny światowej. Za Władysława IV w tym właśnie skrzydle drugie piętro podwyższono o dodatkową kondygnację, całość przeznaczając na „komedialnię" (trwającą tu do początków XVIII w.). Na Zamku już w czasach Zygmunta III występowały wędrowne trupy aktorów angielskich, włoskich, hiszpańskich. Władysław IV stworzył na Zamku teatr stały, o wysokim poziomie.

162., 164.–165. W przyziemiu Wieży Grodzkiej po odbudowie urządzono mały gabinecik przypominający, że pod protektoratem Władysława IV, a także Ludwiki Marii „uczonej białogłowy" rozkwitało w Zamku życie naukowe, zwłaszcza w dziedzinie przyrody, fizyki i astronomii; prym wiedli Valeriano Magni i Titus Livius Burattini. Magni w rozprawie *Demonstratio ocularis...*, wydanej w 1648 r. przez drukarnię królewską, opisał swe przeprowadzone na Zamku doświadczenie wykazujące istnienie próżni. Burattini — wszechstronnie uzdolniony, w różnych dziedzinach przez czterdzieści lat w Polsce działający — na tarasie zamkowym zademonstrował machinę latającą o smoczym kształcie (mającą kota jako pasażera).

Opera władysławowska należała do najlepszych w Europie. Dysponowała przebogatymi możliwościami zmian dekoracji. Pod względem ilości premier prześcignęła Paryż, ustępując jedynie Wenecji i Florencji.

Jarzębski w *Gościńcu* pisał:

> ... *theatrum* cudowne
> Z perspektywami budowne
> Stoi, zacne, z kolumnami,
> Nie widziane między nami.
> Jedne kunszty na dół schodzą,
> Wagami do góry wchodzą...
> Czynią z chmurami ciemności,
> Potem światłość przyjemności...
> Tam ujrzysz piekło straszliwe
> I morze zdać się burzliwe...

Już po „potopie" szwedzkim wystawiono w owym teatrze w 1662 r. Corneille'owego *Cyda* w znakomitym przekładzie Morsztyna — z aktualnymi wstawkami o zwycięstwie i o odzyskanym pokoju.

163. Uczony botanik, lekarz oraz dworzanin Władysława IV i Jana Kazimierza — Marcin Bernhardi *alias* Bernitz — za przyczynieniem się królowej opublikował w 1652 r. *Catalogus plantarum...* — katalog roślin z ogrodów królewskich (zwłaszcza z ogrodów przy Zamku) i z okolic Warszawy.

Ów tzw. *Katalog warszawski* błyskawicznie wszedł do botanicznej literatury ogólnoeuropejskiej; już w 1653 r. został przedrukowany w Kopenhadze w dziele *Viridaria varia regia...* obok podobnych katalogów z Kopenhagi. Paryża, Oxfordu, Padwy, Lejdy.

CATALOGVS
PLANTARVM
Tum exoticarum quam indigenarum quæ Anno M. DC. LI. in hortis Regiis Warsaviæ,
Et circa eandem in locis sylvaticis, pratensibus, arenosis & paludosis nascuntur collectarum,
exhibitus
Serenissimo ac Potentissimo Domino,
Dn. JOHANNI CASIMIRO III. POLONIÆ ET SVECIÆ REGI, MAGNO DVCI LITHVANIÆ &c. &c. Dno. suo Clementissimo.
à
..æ Maj. Regi..
Subjectissimo Famulo & Chirurgo
MARTINO BERNHARDO.
DANTISCI,
Sumptibus Ernesti, & Andreæ Julij, Mollerorum Fratr: S. R. M. Bibliopolar: 1652.

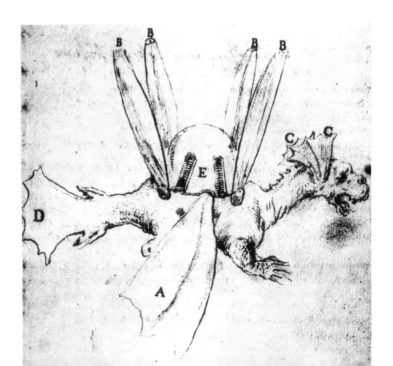

DEMONSTRATIO
OCVLARIS,
Loci sine locato:
Corporis successivè moti in vacuo:
Luminis nulli corpori inhærentis.
A
VALERIANO MAGNO
FRATRE CAPVCCINO
exhibita
SERENISS: PRINCIPIBVS,
VLADISLAO IV.
REGI,
ET
LVDOVICÆ MARIÆ
REGINÆ
POLONIÆ & SVECIÆ,
Magnis Ducibus Lithuaniæ, &c.
Virgini Deiparæ ex voto sacra,
& dicata.

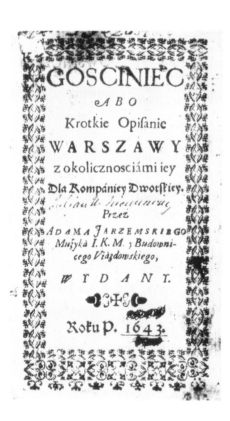

166., 168.–169. Sprawowany w Zamku mecenat Wazów wywierał ożywczy wpływ na rozwój sztuk w Polsce pierwszej połowy XVII w. Działali artyści polscy i sprowadzani z zagranicy.

Warszawski mieszczanin Adam Jarzębski, jeden z czołowych kompozytorów polskich doby wczesnego baroku i skrzypek królewskiej kapeli (,,*musicus S[acrae] R[egiae] Maiestatis*" — wedle dokumentów z kancelarii Zygmunta III) ogłaszając w 1643 r. za Władysława IV swój wierszowany *Gościniec* — pierwszy przewodnik po Warszawie — oczywiście jeden z rozdziałków zatytułował *Musica abo capella Króla J. M.*, jako że Zamek rozbrzmiewał wciąż muzyką.

I lista wypłat dla kapeli królewskiej z czasów Jana Kazimierza, i rysowany ok. 1640 r. przez Giovanniego Battistę Gisleniego (czy Ghisleniego) — architekta trzech kolejnych Wazów — projekt biblioteki Władysława IV, wypełnionej szafami na księgi, ozdobionej licznymi obrazami, mówią o zrozumieniu dla wagi spraw kultury.

167., 170. Zachowana z czasów wazowskich głowica kolumny przy Bramie Grodzkiej, którą zrekonstruowano z fragmentów odnalezionych wśród ruin Zamku, oraz zwornik tejże Bramy z godłem Polski, wykuty na nowo wedle ocalałego, lecz uszkodzonego oryginału. Orzeł Biały ma na piersi „Snopek" Wazów. Korona przypomina czas świetności. Ale widoczny u dołu Order Złotego Runa, nadany przez cesarski ród Habsburgów, mówi, iż fascynacjom obcymi wpływami ulegano wówczas i na tronie, i wśród coraz potężniejszego możnowładztwa. Głos *Kazań sejmowych* Piotra Skargi przestrzegał: „.... Będziecie ku pośmiechu i urąganiu nieprzyjaciołom swoim... I włożą jarzmo żelazne na szyje wasze..." Żądał poprawy.

171.–173. Kilka spośród rozlicznych medali wybitych dla uczczenia Władysława IV: z okazji jego zaślubin z Cecylią Renatą w 1636 r.; z Ludwiką Marią w 1648 r.; jako hołd Gdańska w 1642 r. wobec króla odnoszącego zwycięstwa nad różnymi wrogami. W dobie Wazów sztuka medalierska wspaniale rozkwitła.

174. Wrośnięty w warszawskie Stare Miasto kompleks zabudowań zamkowych w połowie XVII w. Śmierć Władysława IV w 1648 r. zbiegła się z wybuchem, który *„igne et ferris"* — „ogniem i mieczem" — zaczął pustoszyć wschodnie połacie Rzeczypospolitej i był poprzednikiem szwedzkiego najazdu. Do paradoksów historii należy to, że piękną panoramę Warszawy i widok Zamku sprzed zniszczeń spowodowanych „potopem" zawdzięczamy miedziorytowi N. Perelle'a w dziele S. Puffendorfa *De rebus Carolo Gustavo Sueciae gestis...* Norimbergae 1686, wedle rysunku szwedzkiego inżyniera E.J. Dahlberga.

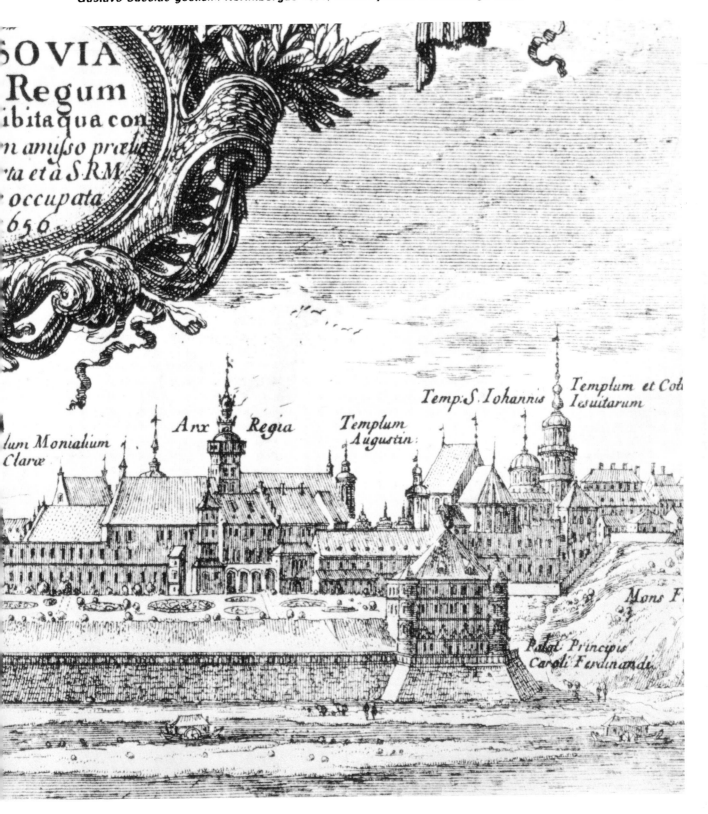

175.–176. Medale na cześć Jana Kazimierza: awers z podobizną króla i rewers z wyobrażeniem Ludwiki Marii, zaślubionej mu w 1648 r. wdowy po Władysławie IV.

178. Zachowana z wazowskiego Zamku płyta kominkowa. Litery: I — C — R — P oznaczają „*Ioannes* ▷ *Casimirus Rex Poloniae*" „Jan Kazimierz król Polski" (w XVII w. wielu rozwijało ów skrót jako „*initium calamitatis Regni Poloniae*" „początek klęski Królestwa Polskiego").

177. Najazd szwedzki na Polskę w 1655 r. — któremu zrazu nie dano odporu — przerwał lata świetności i spokoju. Warszawa została zniszczona. Zamek ograbiony, zamieniony na szpital wojskowy i stajnie. Po wyzwoleniu Warszawy w czerwcu 1656 r. — trzydniowa bitwa 28–30 lipca (której plan z dzieła S. Puffendorfa oglądamy poniżej) znów na parę tygodni wydała miasto i Zamek w ręce bezlitosnych wojsk szwedzkich i brandenburskich. Potem jeszcze w 1657 r. przez tydzień hulały oddziały Rakoczego.

▽

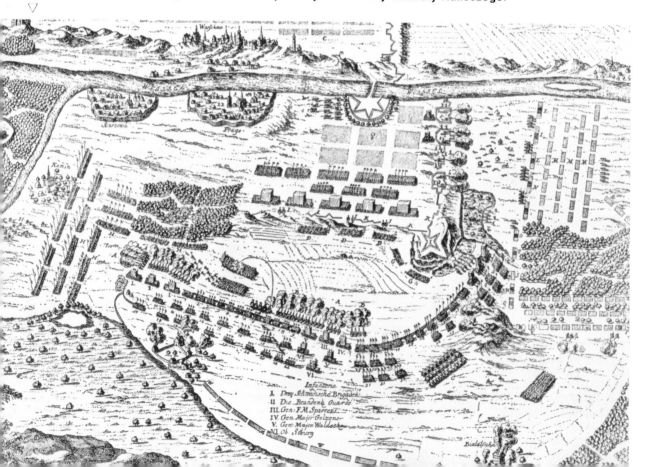

179. We wrześniu 1657 r. Jan Kazimierz i Ludwika Maria wrócili do Warszawy, gorąco powitani. Mimo niezwykle ciężkich warunków Zamek odrestaurowano na przełomie 1657 i 1658 r. Już w 1658 r. zebrał się w Warszawie sejm walny. Powracały urzędy centralne i archiwa koronne. Druk z 1662 r. *Łódka Kościoła Chrystusowego po burzliwym świata pływająca morzu* pokazuje Zamek (acz w kształcie nieco umownym) znów jako pierwszy gmach Rzeczypospoitej wśród miasta, które już zaleczyło swe rany. ▽

180. Elekcja Michała Korybuta Wiśniowieckiego; rysunek znajdujący się w Archiwum Watykanskim, przesłany z Warszawy przez Monsignore Marescottiego, nuncjusza papieskiego w 1669 r. Objaśnienia: A — „szopa"; B — koło; C — koleba nuncjusza; D — brama; E — gwardie przyboczne polskie; F — pojazdy. 1 — Nuncjusz; 2 — Prymas; 3 — Biskup krakowski; 4 i 5 — ławy senatorskie i biskupie.

Po abdykacji Jana Kazimierza w 1668 r., magnaci reprezentowali orientację profrancuską lub prohabsburską. Szlachta, bojąca się cudzoziemszczyzny, skwapliwie podchwyciła hasło wyboru „króla Piasta". „Senatorowie ufali swym regimentom nadwornym ściągniętym na elekcję. Były rzeczywiście potężne, lecz nikłe wobec osiemdziesięciotysięcznego podobno tłumu szlachty... 17 czerwca 1669 roku zebrani w kole senatorskim optymaci zmuszeni nagle zostali do naśladowania żołnierzy na froncie. Przyszło kryć się pod wałami, padać plackiem na ziemię. Tłum oblegał «szopę», palił z pistoletów...
19 czerwca położenie wyglądało na opanowane. Dostojnicy radzili w «szopie», rozstrzygały się losy tych dwóch kandydatów, którzy zwycięsko wyszli z poprzednich roztrząsań: Filipa Wilhelma i Karola Lotaryńskiego. Wtem przyniesiono wieść, że województwa już dokonały wyboru... Dziesiątki tysięcy gardeł chórem powtarzały imię wybrańca: *Vivat Piast! Vivat* król Michał!" (Jasienica).

182. Michał Korybut Wiśniowiecki (1640–1673), królem Polski wybrany w 1669 r. jako syn słynnego Jeremiego Wiśniowieckiego — na portrecie nieznanego malarza z XVII w.

Jego krótkotrwałe rządy przypadły na okres wewnętrznego rozkładu Rzeczypospolitej.

Choć szlachta od chwili elekcji uważała go „za ojca, nie za pana" — większość sejmów została zerwana (cztery na sześć zwołanych), w tym nawet sejm koronacyjny.

W 1669 r. wybuchło zbrojne powstanie górali na Podhalu.

W 1670 r. elektor brandenburski — demonstrujący wrogość wobec Polski już podczas bezkrólewia — porwał z Warszawy, uwięził i ściąć kazał Krystiana Ludwika Kalksteina, przywódcę stronnictwa zmierzającego do powrotu Prus Książęcych pod władzę Polski. Śmierć Kalksteina utrwaliła władzę elektora, torując drogę Hohenzollernom do korony i do stworzenia królestwa pruskiego w 1701 r.

W 1672 r. mało, a doszłoby do wojny domowej między zwolennikami króla z konfederacji gołębskiej a jego przeciwnikami z konfederacji szczebrzeszyńskiej. W tymże 1672 r. Turcy zdobyli Kamieniec i zmusili Polskę do pokoju na upokarzających warunkach.

Wśród tych trudności starał się jednak król Michał działać, ile mógł, i nie bez jego przyczynienia zgromadzono wojska, które — dowodzone przez Sobieskiego — odniosły świetne zwycięstwo pod Chocimiem w 1673 r., czego król Michał już nie dożył.

181. Koronacja królowej Eleonory, małżonki Wiśniowieckiego, odbyła się w katedrze warszawskiej w 1670 r. (miedzioryt z XVII w.).

183. 17-letnia Eleonora Maria Józefa, córka cesarza Ferdynanda III, siostra Leopolda I, „nieszpetna i dobroci nieporównanej" — jak ją charakteryzowali współcześni. Małżeństwo związało króla Michała z Habsburgami, wzmacniając jego stanowisko wobec profrancuskiej opozycji, zwanej „malkontentami".

O zamkowe ściany obijały się gorące — czasem gorszące — spory przedstawicieli różnych grup.

W Eleonorze znalazł król wierną i oddaną towarzyszkę, która nie opuściła go nawet w bardzo trudnych chwilach.

Dzięki osobistym zaletom młoda królowa zjednała sobie sympatię i szacunek w nowej ojczyźnie, zwłaszcza że sprawiła zawód dyplomacji habsburskiej i do polityki się nie mieszała.

184. Stefan Czarniecki.
Wzór wodza-żołnierza słu-
żącego Ojczyźnie nie dla
nagrody (buławę hetmań-
ską — od dawna mu na-
leżną — otrzymał dopiero
na łożu śmierci w 1655 r.).
·Czarniecki już w XVII w.
wszedł do panteonu histo-
rii jako legendarny przy-
wódca walk ze szwedzkim
,,potopem''.
Trwała też pamięć o tym,
że Czarniecki, śpiesząc
na pomoc Danii, sprzy-
mierzonej z Polską a za-
grożonej przez Szwedów,
zadał najeźdźcom dotkli-
wy cios, przeprawiwszy
oddziały wpław przez
cieśninę morską.
W dobie Oświecenia popu-
laryzowała Czarnieckiego
publicystyka patriotyczna.
Napisane przez Wybickie-
go strofy w przyszłe
wieki poniosły sławę te-
go, który ,,wracał się
przez morze dla Oyczyzny
ratowania''.
Wizerunek Czarnieckiego
— namalowany przez
B. Matthisena w 1659 r.,
zaliczany do najpiękniej-
szych portretów staropol-
skich — od 1926 r. zdobił
ściany zamkowe i po ich
odbudowie znów na nie
powrócił.

185. Jan Andrzej Morsztyn.
Znakomity poeta chlubnie ▷
wpisany na karty historii
wśród najświetniejszych
przedstawicieli literatury
polskiego baroku, wy-
kwintny stylista, tłumacz
rycerskiego ,,Cyda''.
Podskarbi wielki koronny
niechlubnie wpisany na
karty historii jako dy-
plomata-intrygant, orga-
nizator profrancuskich
spisków w dobie króla
Michała i Jana III.
Za przygotowywanie za-
machu stanu musiał
opuścić Polskę.

**Portret Jana Andrzeja Morsztyna, mal. H. Rigaud w XVII w. Obraz, który w 1966 r. testamentem prze-
kazał Zamkowi pra-pra-pra-prawnuk barokowego poety: Ludwik Hieronim Morstin, pisarz XX wieku. Był to
pierwszy artystyczny dar dla Zamku, jeszcze wówczas czekającego na dzień odbudowy.**

 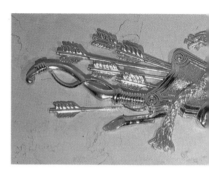

 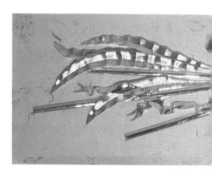

186.–194. Płyciny z panopliami w nadokiennych polach Izby Poselskiej Nowej — odtworzone wedle dokumentacji znajdującej się w Dreźnie. Dokumentacja ta powstała w XVIII w. — ale zarejestrowała stan z doby Jana III. Panoplia — skomponowane z elementów uzbrojenia rycerskiego oraz oznak wojskowych, z antykizujących zbroi oraz ówczesnej broni Polaków przejętej z muzułmańskiego wschodu — miały podkreślać funkcję owej sali sejmowej, w której obradowali przedstawiciele społeczności szlacheckiej, zwący siebie stanem rycerskim.

 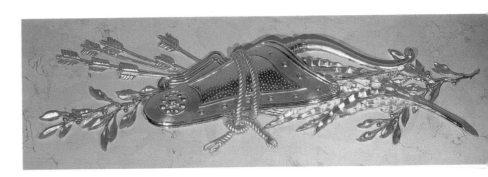

 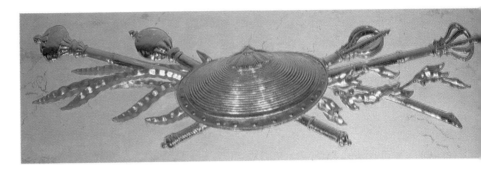

W dekoracji Izby Poselskiej Nowej odbiły się artystyczne i historiozoficzne prądy epoki baroku — których wyrazem było przekonanie o pochodzeniu szlachty polskiej od starożytnych Rzymian (acz inni wywodzili szlachtę od Sarmatów). Powszechnie głoszono odrodzenie się w szlachcie polskiej cnót starożytnych, a w Rzeczypospolitej polskiej form ustrojowych republiki rzymskiej. Na tradycję antyczną patrzono jak na własną, polską tradycję, niemal rodzinną. Prąd ten — w dziedzinie artystycznej wyrażający się antykizowaniem formy i treści — uzyskał miano ,,oświeconego sarmatyzmu''.

195. Portret Jana III namalowany w Polsce po 1683 r. Apoteoza odsieczy wiedeńskiej — ratunku przed niechybną zagładą, jaką Europie niosły wojska tureckie. Apoteoza geniuszu wojennego króla Jana III.

196.–197. Panoplia z Izby Poselskiej Nowej — pionowo umieszczone po dwóch stronach miejsca przeznaczonego dla marszałka. I w tych panopliach, i w portrecie króla-zwycięzcy elementy antykizujące oraz echa ▷ wschodu łączą się w szczególną całość charakterystyczną dla „oświeconego sarmatyzmu''.

198. W zamkowym skarbcu dar Gdańska: kryształowy puchar z herbem Sobieskich „Janiną" wyobrażającym *scutum* tarczę.

Silne były związki Jana III z Gdańskiem i Pomorzem Gdańskim. Sobieski przyjeżdżał tu, nim został królem — władał rozległymi dobrami, dzierżył starostwo gniewskie, potem puckie.

Koronowany w 1676 r. (dwa lata odkładał koronację, tocząc walki z zagrożeniem tureckim), już w 1677 r. zjechał z Warszawy do Gdańska na wielomiesięczny pobyt, głównie inspirowany zamiarem odzyskania Prus Książęcych z rąk elektora brandenburskiego. Ten naczelny zamiar polityki bałtyckiej Jana III niestety nie powiódł się wskutek zmiany sytuacji międzynarodowej.

Ponad półroczny pobyt Sobieskiego w Gdańsku pogłębił przywiązanie miasta do niego. Król zapisał się w sercach poddanych jako dobry władca, który nie tylko wraz z królową bywał na festynach ku swojej czci — lecz i wszędzie tam, gdzie miał okazję spotkać się z ludem gdańskim, poznać jego pracę.

Przed powrotem na warszawski Zamek podpisał król Jan *decretum Joannis III* z 12 lutego 1678, zwiększając uprawnienia Trzeciego Ordynku.

199. **Małżonka Jana III. Królowa Maria Kazimiera de la Grange z domu d'Arquin — mal. F. Desportes. Królowa Marysieńka. Żona (podwójnie zaślubiona) i kochanka. Błogosławieństwo i przekleństwo.**
Adresatka listów będących chlubą polskiej epistolografii, wśród nich i tego, który nocą z 12 na 13 września 1683 r. był pisany ,,w namiotach wezyra'': ,,Jedyna duszy i serca pociecho, najukochańsza i najśliczniejsza Marysieńku! Bóg i Pan nasz na wieki błogosławiony dał zwycięstwo i sławę narodowi naszemu, o jakiej wieki przeszłe nigdy nie słyszały. Działa wszystkie, obóz wszystek, dostatki nieoszacowane dostały się w ręce nasze. Nieprzyjaciel, zasławszy trupem aprosze, pola i obóz, ucieka w konfuzji...''

200. Gwiazdozbiór „*Scutum Sobiescianum*" „Tarcza Sobieskiego" — na sztychu K. de la Haye w dziele Heweliusza *Prodromus astronomiae... cum firmamentum Sobiescianum*. Herb Sobieskich „Janina" wrysowany na mapy nieba przez najsłynniejszego po Koperniku polskiego astronoma Jana Heweliusza, nazwany tak dla uczczenia odsieczy wiedeńskiej i dla wyrażenia wdzięczności wobec królewskiego protektora.

Sobieski — wraz z Marysieńką — w r. 1677 i 1678 „Gwiazdogród" Heweliusza w Gdańsku kilkakroć odwiedzał, wdając się w uczone dysputy. A w 1679 r., kiedy pożar strawił kamieniczki Heweliusza i jego obserwatorium — hojną pomocą pomógł odbudowie.

Nazwa „Tarcza Sobieskiego" trwała w międzynarodowym nazewnictwie naukowym do 1928 r., kiedy „*Sobiescianum*" odrzucono, zostawiając samo „*scutum*".

201. Marcin Kątski — generał artylerii koronnej, wybitny taktyk i organizator, jeden z bliskich współpracowników Jana III, uczestnik i współtwórca zwycięstw Sobieskiego pod Chocimiem, pod Wiedniem i pod Parkanami. (Wizerunek Kątskiego — pędzla Bacciarellego — z Sali Rycerskiej w Zamku.)

JOHANNES III. SOBIESKI,
Polonorum Rex.

Rzeczpospolita w dobie Jana III

202.–203. XVII-wieczny miedzioryt z wizerunkiem króla-zwycięzcy przedrukowany jako okładka zaproszenia na otwarcie reprezentacyjnej wystawy „Rzeczpospolita w dobie Jana III". Strona tytułowa katalogu tejże wystawy, czynnej w warszawskim Zamku w 1983 r.

We *Wprowadzeniu do wystawy* prof. Aleksander Gieysztor napisał: „Wystawę tę pomieścił w swoich salach Zamek Królewski w Warszawie odbudowany z ruin jako umyślnie nam zniszczony symbol państwa i narodu...

Rocznicę odsieczy wiedeńskiej uczczono tu stosownie do miejsca, w którym Jan III spędzał przeważną część każdego roku z dwudziestu dwu lat swoich rządów. Stosownie do miejsca, w którym złożono — w pokoju pierwszym Panien górnych, a potem w Kaplicy w Wieży Grodzkiej — ciało królewskie, przywiezione tejże nocy z Wilanowa, gdzie 18 czerwca 1696 o godzinie szóstej przed wieczorem nastąpił zgon króla.

Stosownie także do miejsca obrad sejmowych i do siedziby urzędów centralnych Rzeczypospolitej, które w różnych pomieszczeniach zamkowych działały w XVII i XVIII w."

„Droga przez wystawę prowadzi nas do majestatu królewskiego. Teoria i praktyka polskiego prawa politycznego upatrywały w królu trzy zakresy jego władzy: król sam, król w senacie, król w sejmie..."

Przypominając zwycięstwo Jana III, mające ogromne międzynarodowe znaczenie, wystawa pokazywała też, z jakim trudem i poświęceniem prowadził Sobieski walkę o uratowanie Polski przed niszczącą ją od wewnątrz anarchią wynikającą ze „złotej wolności" szlacheckiej.

204.–205. Awers i rewers pamiątkowego medalu, wydanego przez Zamek Królewski w Warszawie z okazji 300-lecia odsieczy wiedeńskiej.

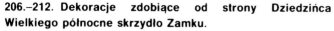

206.–212. Dekoracje zdobiące od strony Dziedzińca Wielkiego północne skrzydło Zamku.

Nie zachowało się wyobrażenie owej elewacji z czasu Wazów — możemy jednak przypuszczać, że była nacechowana surową prostotą, tak jak elewacje zewnętrzne i jak elewacje innych skrzydeł wokół Dziedzińca (widoczne na rysunku z 1701 r.). Realizując ok. 1740 r. wystrój skrzydła północnego zachowano wczesnobarokowy portal Bramy Senatorskiej (co widać na ilustracji 235).

Nowa dekoracja rzeźbiarska — choć powstała w okresie rozkwitu saskiego rokoka z jego pełnymi fantazji, kapryśnymi, rozwichrzonymi liniami — przekazuje treści wyrosłe z ducha barokowego patosu, z rodzimej tradycji artystycznej ukształtowanej w kręgu dworu Jana III.

Zawieszone na palach antykizowane trofea, sztandary przemieszane ze stylizowanymi gałązkami palm, zbroje, szyszaki, tarcze, rózgi liktorskie, kołczany ze strzałami i lufy armat, a także turban turecki — wszystko to niewątpliwie odwołuje się do „oświeconego sarmatyzmu" oraz do pamięci zwycięzcy spod Chocimia i Wiednia.

Twórcą tych rzeźb zapewne był warszawiak J. J. Plersch.

209. Jedyny obecnie znany widok Dziedzińca Wielkiego po wazowskiej rozbudowie Zamku — rysunek z 1701 r. w otoku *Widoku Warszawy od strony Wisły* J. G. Feyge'a.
Od prawej: część skrzydła zachodniego przy Wieży Zygmuntowskiej; skrzydło południowe z Bramą Grodzką i z nadbudowaną dodatkową kondygnacją nad drugim piętrem (przygotowaną tak na rozkaz Władysława IV dla potrzeb „komedialni"); skrzydło południowo-wschodnie. czyli Dwór Większy (jeszcze z czasu przed saską nadbudową piętra dla uzyskania wyższej Sali Senatorskiej). Wieża Władysławowska; skrzydło północno-wschodnie. Na dziedzińcu studnia i niskie przybudówki.

213.–214. Izba Poselska Nowa — wykonany w początkach XVIII w. rysunek ocalały w archiwum drezdeńskim: rzut z góry, rozwinięcie ścian i przekrój. Ściany Izby mają ozdoby z panopliów; przy ścianie północnej znajduje się stół na podwyższeniu „do spisywania praw i konstytucji" oraz fotel marszałka, czyli *locus directorialis;* ławy poselskie są rozmieszczone amfiteatralnie.

Przez długi czas uważano, że przeniesienie Izby Poselskiej z przyziemia Dworu Większego na *piano nobile* zostało dokonane z inicjatywy Augusta II. Potem badacze uznali, że inwentaryzacja drezdeńska ukazuje stan wcześniejszy, i owo przeniesienie Izby Poselskiej przypisali Sobieskiemu. Dopiero J. Lileyko — analizując zapis dotyczący pożaru na Zamku za króla Michała (zatlił się strop drewniany w Izbie Poselskiej i znajdujące się nad nią pomieszczenie, gdzie zmagazynowano deski) — stwierdził, że już wówczas Izba Poselska musiała znajdować się poza przyziemiem Dworu, bo ono miało murowane niepalne sklepienia i było położone nie pod jakimś magazynkiem, ale pod owoczesną Izbą Senatorską.

Wydaje się to wielce prawdopodobne, że właśnie za króla Michała, obranego wbrew decyzji magnatów, „panowie bracia szlachta" przenieśli swe obrady na poziom równy — dosłownie i w przenośni Izbie Senatorskiej.

215.–216. Widok Warszawy od strony Wisły, otoczony trzydziestoma rysunkami warszawskich budowli, oraz fragment ukazujący w zbliżeniu Warszawski Zamek Królewski — rysunek J. G. Feyge'a z 1701 r., zachowany w Saskim Krajowym Archiwum Głównym w Dreźnie, eksponowany w 1965 r. na wystawie „Varsaviana w zbiorach drezdeńskich" w Muzeum Historycznym M. St. Warszawy.

W przedmowie do katalogu tej wystawy Karlheinz Blaschke z Drezna napisał: „Po tym wszystkim, co w latach 1939 do 1945 działo się w Warszawie i co na zawsze powiązane zostanie z imieniem niemieckim, wystawa ta stanowi również wydarzenie polityczne... Plany z drezdeńskiego archiwum mają się przyczynić do wzmocnienia świadomości historycznej i uczynić z niej siłę działającą i w przyszłości. Wystawa ta ma przede wszystkim świadczyć o istnieniu tych «innych» Niemiec, które nie zginęły bez śladu mimo dwunastoletnich rządów przemocy..."

217.-218. Zamek od zachodu, widziany jakby z elekcyjnego pola na Woli, oraz malownicze sceny na owym polu obierania królów Polski — fragmenty obrazu M. Alessandriniego *Elekcja króla Augusta II Sasa 27 czerwca 1697*. Kolorowo, wesoło i hucznie. A już każdy dzień przybliżał tragedię rozbiorów, której elementy kryły się w owym roku 1697, roku podwójnej elekcji. Najpierw (czego nie widać na obrazie) wybrano i urzędowo ogłoszono królem kandydata większości, którym był francuski książę Conti; potem nastąpił — złotem i groźbami wsparty, dokonany pod presją cara Piotra I i Habsburgów — wybór saskiego kurfürsta Fryderyka Augusta I z rodu Wettinów, znanego w historii Polski jako August II. Rozpoczęła się w Polsce epoka saska, trwająca do 1763 r. Czas upadku myśli obywatelskiej, ciemnoty i anarchii.

Rok 1701 rozpętał zawieruchę wojny północnej. Przeciw Szwecji stanęła koalicja rosyjsko-sasko-duńska. Pozornie żartobliwe, niewinne powiedzonko: ,,Ten do Sasa, ten do Lasa'', przekazuje obraz zjawisk przerażających. Bo za królem Sasem sojusznicze wojska cara Piotra I. Bo za królem Lasem-Leszczyńskim sojusznicze wojska szwedzkiego króla Karola XII (które ,,Lasa'' na tronie osadziły). Obce marsze i kontrmarsze przez kraj, nie tak dawno zaliczany do pierwszych potęg Europy. Korzystając z okazji elektor brandenburski — niedawny lennik — ogłasza się królem państwa pruskiego.

Zawichrzenia polityczne i wojenne, połączone z ruiną gospodarczą, nie ominęły Warszawy i Zamku.

219.–220. Izba Poselska Nowa w południowo-zachodnim narożniku Zamku — przy odbudowie utrzymana w stylu sali recepcyjnej, ozdobiona obiektami przypominającymi czasy Sasów.
Na ścianie malowany z natury w 1732 r. obraz J. Ch. Mocka *Kampament wojsk polskich i saskich na polach Czerniakowa pod Warszawą* — za Sasów długie lata dekorujący Salę Audiencyjną na Zamku, ukazujący wspólne ćwiczenia piechoty, jazdy i połączonych broni. Pyszne, barwne widowisko dworskie, gdy o miedzę krzepły potęgi militarne Rosji oraz Prus.

221. Fragment obrazu Mocka: działa artyleryj-
skie i zatknięta na lawecie chorągiew korpusu
artylerii konnej z Białym Orłem mającym herby
Wettinów na piersi.

Gorzki paradoks dla tych, co pamiętali, że to
knowaniom Augusta II „zawdzięczała" Polska
wojnę domową i pacyfikacyjny Sejm Niemy
w 1717 r., który pod dyktando posła rosyjskiego zatwierdził ograniczenie wojsk polskich do
18 000, a litewskich do 6 000.

Ogół nie znał jednak tajemnych pertraktacji
Augusta II a to z Prusami, a to z Rosją, a to
z Austrią (zwłaszcza w latach 1698, 1709, 1721,
1732), w których proponował on najrozmaitsze
warianty podziału Polski.

W 1707 r. carowi Piotrowi I ofiarował August II
obrazy Dolabelli ze stropu Izby Senatorskiej:
Zdobycie Smoleńska i *Hołd carów Szujskich
przed Zygmuntem III.*

222. August II – rzeźba francuska z ok. 1730 r.,
miniaturowa kopia „złotego jeźdźca" z Drezna.

225. Insygnia króla Augusta III i jego żony Marii Józefy, córki cesarza, użyte podczas koronacji na Wawelu w 1734 r. Po śmierci Augusta II zdecydowana większość szlachty zgromadzona na polu elekcyjnym na Woli w dniu 11 września 1733 r. wybrała królem Stanisława Leszczyńskiego. Niespełna miesiąc potem na Pradze garść szlachty pod osłoną wojsk rosyjskich i saskich okrzyknęła saskiego księcia Fryderyka Augusta królem Polski Augustem III. Leszczyński opuścił Polskę. Koronacja Augusta III odbyła się.

Zamówiono w Dreźnie u znakomitego złotnika J. Köhlera insygnia królewskie ze srebra i złoconego brązu (pierwotnie każdą z koron zdobiło ponad sto rubinów, szmaragdów i diamentów; w niewiadomym czasie klejnoty zastąpiono imitacjami).

Insygnia koronacyjne z 1734 r. — przywiezione z Krakowa do Warszawy — bywały używane podczas różnych ceremonii dworskich w Pałacu Saskim, a przede wszystkim na Zamku.

223.–224. August II, król Polski 1697–1733 (w okresie 1706–1709 poza Polską, po abdykacji na rzecz Stanisława Leszczyńskiego) i jego syn August III, król Polski 1733–1763. Portrety pędzla malarzy dworskich z XVII w.

Ocalałe insygnia przypominają zawiłe drogi historii.

Kiedy August III zmarł, insygnia zabrano do Drezna wraz z kosztownościami i zbiorami artystycznymi potraktowanymi jako majątek osobisty Wettinów.

Po detronizacji Wettinów w Saksonii w 1918 r. insygnia trafiły do antykwariuszy i w 1925 r. zostały odkupione przez rząd polski.

Przed 1939 r. insygnia Augusta III przechowywane były w warszawskim Muzeum Narodowym. Podczas okupacji hitlerowskiej wywiezione w głąb Niemiec, tam znalezione przez Armię Radziecką. W 1969 r. znów zostały przekazane do Polski.

Jest to pamiątka jednej z koronacji wawelskich, tym cenniejsza, że odwieczne polskie insygnia koronacyjne zostały na przełomie XVIII i XIX wieku zrabowane, potem zniszczone przez pruskiego zaborcę.

226.–229. Ku Wiśle obrócona malownicza fasada Zamku o trzech ryzalitach, pełna wytwornej elegancji i lekkości, powstała w wyniku przebudowy północno-wschodniego skrzydła w latach 1741–1746.

Przywrócona do życia po mozolnej rekonstrukcji (podczas której „winkrustowano" w południowy ryzalit ocalały fragment muru zwany „ścianą Żeromskiego"), dziś jest ozdobiona grą fontann, które służą nie tylko upiększaniu widoku, ale wytrwale pracują jako część systemu klimatyzacyjnego.

Już August II, marzący o monarchii absolutnej z dziedziczną władzą Wettinów, zamawiał u architektów projekty gigantycznej rozbudowy Zamku. Burze częstych wojen zmusiły go do zarzucenia planów; zresztą zainteresowania króla odwróciły się od Zamku i jego siedzibą stał się pałac zwany Saskim. Przydano jednak za Augusta II jedną kondygnację skrzydłu południowo-wschodniemu, tak aby podwyższona Izba Senatorska uzyskała wygląd bardziej reprezentacyjny (charakterystyczne, że sprzeciw szlachty, wiernej hasłom republikańskim, wzbronił postawienia tam dekoracji apoteozującej władzę króla).

Za Augusta III z inicjatywy sejmu podjęto przebudowę dość zaniedbanego Zamku; m. in. stworzono wtedy monumentalną nadwiślańską fasadę, przeniesiono Izbę Senatorską do zachodniego skrzydła, przerobiono skrzydło północne od strony Dziedzińca Wielkiego. Sejm przyznał na ten cel podskarbiemu potrzebne sumy. Nadzorem budowlanym zajmował się z urzędu „architekt JKMci i Rzeczypospolitej".

Przebudowane skrzydło Zamku, stające się jakby „korpusem głównym" harmonijnie wtopionym w wazowski pięciobok — przeznaczone na apartament królewski — otrzymało trzy ryzality: wielki środkowy, gdzie zaplanowano Salę Audiencyjną (za Stanisława Augusta — Salę Balową) i dwa boczne; południowy mieścił Sypialnię Króla (za Stanisława Augusta — Salę Tronową), północny przeznaczono na kaplicę zwaną potem „Saską" (za Stanisława Augusta pomieszczenie to używano jako salę koncertową).

Nie sposób tu zagłębiać się w fachowe opisy wiążących owe ryzality czteroarkadowych galerii, charakteryzować zróżnicowane balustrady, rodzaje boniowań, przywoływać omawianą przez specjalistów sprawę przejścia od wpływów późnego baroku rzymskiego do dominanty rokoka...

Dekoracja rzeźbiarska, wykonana przez znakomitego rzeźbiarza warszawskiego J. J. Plerscha, spotęgowała oryginalność budowli.

Na trójkątnych tympanonach bocznych ryzalitów umieszczono tarcze z monogramami monarszymi (południowy ryzalit — inicjał króla, północny ryzalit — królowej), pod koroną podtrzymywaną przez uskrzydlone Sławy.

Zawieszone na palach antykizowane trofea ogłaszały — zainscenizowany na modłę starożytną — triumf Rzeczypospolitej Obojga Narodów. Jej alegorię tworzyły dwie ustawione na attyce ryzalitu centralnego postacie niewieście symbolizujące Polskę i Litwę oraz górujący nad całą kompozycją, zwieńczony koroną, czterodzielny kartusz herbowy Rzeczypospolitej, mający na tarczy sercowej godło Wettinów. Poniżej kartusza, a ponad tablicą fundacyjną datowaną 1746, umieszczono krzyż Orderu Orła Białego. Była to apoteoza Rzeczypospolitej zgodna z rodzimą kulturą artystyczną, nawiązującą do tradycji „oświeconego sarmatyzmu".

GŁOS WOLNY
WOLNOŚĆ
UBESPIECZAIĄCY.

ELEMENTUM MEUM LIBERTAS

ROKU PANSKIEGO
M. DCC. XXXIII.

229.–232. Jeden z pokoi zamkowych przywołuje pamięć Stanisława Leszczyńskiego, dwakroć na tron Polski obieranego, po owych elekcjach krótko, przejściowo mieszkającego na Zamku 1704–1709, a potem w 1733. Pobyt jego nie wywarł wpływu na wygląd zamkowych murów czy wnętrz — ale z dali promieniowała legenda króla-wygnańca, króla-pielgrzyma, króla-filozofa, uważanego za autora rozprawy służącej naprawie Rzeczypospolitej *Głos wolny wolność ubezpieczający* (powstałej pod jego wpływem).

O legendzie „dobroczynnego filozofa" świadczy piękna kotara z godłem Rzeczypospolitej mającym na tarczy sercowej Wieniawę Leszczyńskich — wykonana z okazji wznowienia przez Stanisława Leszczyńskiego studium akademickiego w Lotaryngii, którą dożywotnio władał z nadania swego zięcia króla Francji.

O nieoczekiwanych zakrętach historii świadczy w tymże pokoju zamkowym mała rzeźba ukazująca unoszoną przez aniołów córkę Stanisława Leszczyńskiego Marię, małżonkę władcy Francji Ludwika XV, zwaną „dobrą królową", i tuż obok majestatyczny portret damy w krynolinie (mal. L. M. van Loo), przedstawiający córkę Augusta III Marię Józefę, poślubioną przez delfina Francji, syna Leszczyńskiej.

233.–234. August II w Saksonii traktował sztukę, a zwłaszcza architekturę jako najlepsze narzędzie potęgowania monarszego blasku. W Polsce jednak raczej ograniczał się do roztaczania splendoru na maskaradach, turniejach i karnawałach. Bez względu na sytuację i stan skarbu — trwał nieustający festiwal balów, zabaw i redut, do którego architekci królewscy sporządzali niezliczone projekty.

W archiwum drezdeńskim zachowała się akwarela nieznanego malarza przedstawiająca przyjęcie przez króla w obecności senatu w Sali Audiencyjnej posła tureckiego Mahmuda-effendi w 1731 r.

W tymże 1731 r. namalowany widok ściany wschodniej Izby Senatorskiej z projektem dekoracji i rozmieszczeniem osób podczas festynu karnawałowego — dla nas jest szczególnie interesujący, ponieważ zobaczyć tu możemy wnętrze Izby Senatorskiej w dawnym Dworze Większym po przebudowaniu jej 1721–1724 wedle projektu Longuelune'a, jeszcze zaś przed przeniesieniem jej do skrzydła zachodniego. Współcześnie jednak wielu gorszyło się, że „praw świątnica" jest zamieniana w miejsce swawoli. Anonimowa ulotka z czasów Augusta II wręcz oskarżała go za to, że „Zamek Warszawski *publico scandalo* w saraj i *scortum* obrócony".

235. Skrzydło północne Zamku — widziane od strony Dziedzińca Wielkiego — odbudowane w takim stanie, jaki został nadany po przeróbkach wedle projektu G. Chiaveriego, w latach czterdziestych XVIII w.

236. Żeliwna płyta kominkowa, zachowana z okresu wielkich prac budowlanych na Zamku w 1742 r., mająca między znakami Orła i Pogoni herb Wettinów, a także kunsztownie zawikłany inicjał: A — R — 3, oznaczający „*Augustus Rex III*" „król August III".

237. Budowę nadwiślańskiego skrzydła w nowym kształcie podjęto w 1741 r. — zaczynając od ryzalitu południowego, który wzniesiono na miejscu dawnej wieży zwanej Altaną. Następnie stanął ryzalit środkowy. W 1744 r. położono kamień erekcyjny pod ryzalit północny.

Aleksander Król, żarliwy opiekun zamkowych ruin, zapisał: ,,W czasie usuwania zwietrzałego muru w narożniku ryzalitu północnej elewacji saskiej odnaleźli robotnicy w dniu 13 maja 1964 roku fragment nadproża z piaskowca, na którym był widoczny starannie wykuty napis: « L[audeatur] J[esus] C[hristus]. Za panowania Augusta III za dyspozycyą Macieja Grabowskiego Podskarbiego N[ajjaśniejszego] K[róla] ten fundament założony D. 16 Maya A.D. 1744». Poniżej napisu widniały litery «L.F.D.K». Możliwe, że kryją one imię i nazwisko budowniczego lub majstra kamieniarskiego.''

J. Lileyko, na podstawie wielostronnych badań, rozwinął skrót na kamieniu węgielnym jako ,,Podskarbiego N[adwornego] K[oronnego]''.

„...przyjął się pogląd, że inicjatywa tej przebudowy wyszła od króla Augusta III. Jest to mniemanie błędne, gdyż August III mało interesował się architekturą w ogóle, a stan Zamku, poza niezbędnym minimum umożliwiającym wykonywanie czynności urzędowych, był mu całkowicie obojętny.

Myśl o konieczności modernizowania i nadania bardziej okazałej szaty zewnętrznej oficjalnej rezydencji króla, a jednocześnie siedzibie sejmujących stanów i urzędów Rzeczypospolitej, narodziła się w gronie Rady Senatu i została zaakceptowana przez Sejm. Odpowiednie fundusze na ten cel sejm wyasygnował urzędowi podskarbińskiemu, który przyjął odpowiedzialność za realizację całego zamierzenia. Wyrazem tego jest znaleziona w 1965 r. tablica erekcyjna z wyrytym napisem." (J. Lileyko).

Nie wiemy i chyba nie dowiemy się dokładnie, kto był inspiratorem tej wspaniałej nadwiślańskiej fasady Zamku. Pewne, że wstępny jej projekt przygotował około 1737 r. G. Chiaveri, że projekt ów podlegał zmianom i poprawkom (dokonanym przez Autora? przez Z. Longuelune'a? przez G.K. Pöppelmana?). Pewne, że wnosząc twórcze modyfikacje zrealizował tę fasadę w latach 1741–1746 zamieszkały w Warszawie spolonizowany Italczyk A. Solari „architekt JKMci i Rzeczypospolitej".

238. Grająca światłocieniem rokokowa fasada Zamku nad wiślaną skarpą stała się jednym z najbardziej charakterystycznych elementów w panoramie miasta, niezliczone razy rysowana, malowana, poczynając od słynnego widoku Canaletta.

Mniej oczywiście jest znana panorama Warszawy z sali balowej pałacu Lubomirskich w Małej Wsi koło Grójca. Malowidło to może jest dziełem znakomitego warszawskiego malarza J.B. Plerscha, twórcy fresków w Gabinecie Konferencyjnym.

Panorama z Małej Wsi prezentuje urodę przebudowanego Zamku, rozległość służącej celom gospodarczym tzw. „Oficyny Saskiej" na podzamczu, katedrę św. Jana i wiele bliskich sercu warszawskich budowli, wiernie przedstawionych.

Na tarasie ogrodowym Zamku, obok Pałacu pod Blachą, pokazuje nie zanotowany w żadnych przekazach budynek opatrzony antycznym portykiem z kolumnami, w tym prawie miejscu, gdzie w latach 1780–1784 zbudowano Bibliotekę Królewską.

Albo więc malowidło powstałe przed wzniesieniem Biblioteki (oczywiście nieobecnej i na obrazie Canaletta z 1770 r.) utrwaliło jakąś krótko istniejącą budowlę — albo też owo wyobrażone *templum*, świątynia, jest przekazem mającym sygnalizować bliskość sił, które na różne sposoby podejmując problem zła i dobra próbowały świat zmieniać. Czy to tylko przypadek, że właśnie w owym miejscu zamkowej skarpy jest usytuowana tajemnicza, podziemna sala nazywana „Lożą Masońską" (którą zajmiemy się na następnej stronie)?...

239.–240. W zamkowym ogrodzie, pod trzymetrową prawie warstwą ziemi — odkryto sklepioną salę, kryjącą w swym tajemniczym wnętrzu dwanaście figur wykutych z piaskowca (w XVII? w XVIII wieku?) oraz królującą — trzynastą — postać starca w koronie. Kto tę salę zbudował? w jakim celu? na czyje polecenie? Żaden dokument, żaden plan nic o niej nie mówił. Kto zamurował wejście do tej sali, zamykając jak w grobowcu owe posągi? Nie wiadomo. W każdym razie ślad wszelki i pamięć o tym tajemniczym wnętrzu zaginęły — i dopiero przypadkowe odkrycie podczas zabezpieczania ruin Zamku odsłoniło ową piwnicę, którą nazwano „Lożą Masońską''. Ale czy ta nazwa jest słusznie nadana?
Jeden z badaczy co prawda sugeruje, że tajemnicze wnętrze pełniło całkiem prozaiczną rolę: w lecie chłodni, w zimie jakby „kotłowni'' swoistego centralnego ogrzewania. Ale po co te posągi?
Jedno jest pewne. To, że owa popularnie zwana „Loża Masońska'' ma szczególną skłonność do krycia się w mroku tajemnic. Oto piwnicę tę A. Król odkrył i udostępnił w roku 1952. Ale pamiętający czas pierwszego powojennego odgruzowania Zamku inż. S. Jankowski wspomina, jak niedługo po 1945 r. przy barakowozie kierownictwa robót, ustawionym w ogrodach zamkowych, kopiąc przypadkiem natrafiono na wierzch sklepienia owej piwnicy — jak wybito dziurę w tym sklepieniu — jak po drabinie zszedł na dół jeden z robotników, za nim inni, zaciekawieni i przerażeni zarazem. A potem dziurę zasklepiono, wykop zasypano. I powtórne odkrycie nastąpiło dopiero po paru latach.

241.–242. Przestronne pomieszczenie w przyziemiu nadwiślańskiego skrzydła. Skarbiec Wielki Koronny. Pustka. Taka pustka też była tutaj po rządach Augusta II i Augusta III. Tyle że wtedy — jak zapisano po lustracji gmachu przeprowadzonej w październiku 1763 r. — „pomieszczenia po części zrujnowane".

„Za króla Sasa jedz, pij i popuszczaj pasa!" — zdaje się wykrzykiwać ta kompanija cała, misternie wysztychowana na jednej z panoram Warszawy, jakie w dobie Sasów odbijano w różnych krajach Europy.

„...ponure czasy, kiedy Polska stała się karczmą zajezdną dla obcych wojsk, gdy gospodarkę kraju rujnowały potoki monety fałszowanej przez Fryderyka w drezdeńskiej mennicy, burzyli się niepomiernie uciskani chłopi, rwały się sejmy i sejmiki, gdy państwo stało na skraju anarchii." (J. A. Gierowski).

243.–244. Galeria na piętrze skrzydła południowego, między Schodami Wielkimi a Izbą Poselską Nową, dziś zwana Galerią Czterech Pór Roku od zawieszonych tutaj tkanin dekoracyjnych wykonanych przez F. Glaeze'a (francuskiego tkacza działającego w Warszawie za Augusta III) — wyobrażających „Wiosnę", „Lato", „Jesień", „Zimę".

Głos wiecznie odradzającej się natury mówi o istnieniu nadziei wbrew brakowi nadziei.

Tak właśnie wpośród upadku czasów saskich bił ożywczy — acz mało widoczny i budzący rozliczne sprzeciwy — nurt wczesnego Oświecenia, który zakładał racjonalną organizację państwa i społeczeństwa, rozwój gospodarczy, podniesienie poziomu kulturalnego.

Wśród nocy saskiej Stanisław Konarski (który w młodości też do lotaryńskiej siedziby króla-filozofa pielgrzymował) zainicjował reformę szkolnictwa, bracia Załuscy — oddając do użytku publicznego swą bibliotekę z trzystu tysiącami tomów — kładli podwaliny pod rozwój nowoczesnej nauki, a pisarze polityczni coraz śmielej upominali się o reformy społeczne i polityczne...

246.–247. Przylegające do Galerii Czterech Pór Roku pomieszczenia w południowym skrzydle — „Apartament Księcia Stanisława": Antyszambra i Pokój Towarzyski — po odbudowie Zamku urządzono w stylu rokoka, tak jak mogłyby wyglądać w XVIII w., kiedy tu mieszkał postępowy i światły bratanek króla, szef gwardii pieszej koronnej, jeden z przywódców stronnictwa królewskiego książę Stanisław Poniatowski (dla potomnych „nieznany książę Poniatowski", przyćmiony sławą księcia Józefa).

Boazerie w obu tych pokojach pochodzą z XVIII-wiecznego pałacu Czartoryskich (stojącego przy Karowej, gdzie potem powstał Hotel Bristol) — może więc późniejszy król w dzieciństwie te boazerie oglądał, kiedy przychodził do warszawskiej siedziby brata swej matki.

Antyszambrę ozdabia sześć gobelinów z rajskimi ptakami, powstałych około 1750 r. w manufakturze w Aubusson. Owe piękne tkaniny — ofiarowane Zamkowi przez Polkę w Belgii zamieszkałą — okazały się pasujące wymiarami do boazerii w sposób wręcz idealny.

IURISPRUDENTIA

Wbrew rosnącym w potęgę żarłocznym sąsiadom, skwapliwie wykorzystującym i „gwarantującym" utrwaloną dziesięcioleciami saskimi w Polsce anarchię, samowolę, ciemnotę oraz prywatę magnacką i szlachecką — brał w Rzeczypospolitej górę prąd Oświecenia.

Dzięki rosnącym szeregom ludzi, których moralność i umysł były kształtowane przez odnowiony system edukacji i przez ożywczy nurt działań kulturalnych — od początku panowania Stanisława Augusta (królował 1763–1795) podejmowano próby reformy zdegenerowanych instytucji państwowych, umacniania praworządności, organizowania nowoczesnego aparatu administracji i dyplomacji, modernizowania i zwiększania armii, pomnażania dochodów skarbowych, ożywiania gospodarki.

Czasy stanisławowskie upowszechniły przesłanie z *Ustaw szkolnych* Stanisława Konarskiego: „Czytanie książek ludzi uczonymi i wielkimi w Ojczyźnie czyni..." „Między największymi tutejszej edukacji pożytkami ten się jeden kładzie, żeby Ich Mość młodzi wyuczyli się i wzwyczaili w czytanie prywatne dobrych książek, nie do lada jakich książek... ale książek moralnych, politycznych, historycznych..."

Symbolem zwycięstwa oświeceniowych dążeń tej epoki — potwierdzeniem roli siły duchowej jako źródła nadziei odrodzenia wbrew klęskom politycznym — stał się jedyny zrealizowany przez króla projekt wśród rozlicznych zamawianych przezeń planów zewnętrznej przebudowy i rozbudowy Zamku: wzniesienie gmachu Biblioteki Królewskiej. Dla pełni symbolu — Biblioteka to jedyna budowla zamkowa, która ocalała z zagłady Zamku dokonanej przez Niemców w 1944 r. Jest to także pierwsze przywrócone do dawnej świetności zamkowe wnętrze, zrekonstruowane już w latach 1962–1966, przed decyzją Odbudowy Zamku.

**248.–251. Prawo. Polityka. Opty-
ka. Rzeźba.**
Cztery spośród ozdabiających
Bibliotekę Królewską 28 medalionów, wypełnionych modelo-
wanymi w stiuku płaskorzeźba-
mi wyobrażającymi różne dzie-
dziny nauki, sztuki i techniki,
reprezentowane w ówczesnym
księgozbiorze króla — dostęp-
nym dla artystów, ludzi wiedzy
i ludzi służby publicznej.
Tworząc Bibliotekę — ten
warsztat intelektualny polskiego
Oświecenia — Stanisław August
realizował swój program, jakim
było „nowe świata polskiego
tworzenie".

252. W dostojnym wnętrzu Biblioteki Królewskiej urządzane są wystawy okresowe poświęcone tematom szczególnie ważkim. O prawo urządzenia swej wystawy na Zamku Królewskim w Warszawie ubiegają się różne instytucje i organizacje z terenu całej Polski.

Spośród licznych zamkowych ekspozycji niechaj naszą uwagę na chwilę zatrzymają dwie wystawy z dwóch przeciwnych krańców Polski: jedna poświęcona Zamościowi, druga — Ziemiom Zachodnim i Północnym.

Wystawa „Zamość wczoraj, dziś, jutro" przypominała konieczność opieki nad zabytkami tego miasta, któremu w 1980 r. minęło czterysta lat od założenia go przez Jana Zamoyskiego, kanclerza i hetmana wielkiego koronnego. Już u wstępu witała wchodzących podobizna fundatora, który założył i ufortyfikował Zamość wedle najlepszych renesansowych wzorów „miasta idealnego", a w akcie fundacyjnym powołanej tam Akademii Zamojskiej napisał słynne słowa: „Takie są rzeczypospolite, jakie ich młodzieży chowanie".

I jeszcze o czymś ważnym przypominała wystawa. „Najtragiczniejszym okresem w 400-letnich dziejach Zamościa były lata okupacji hitlerowskiej 1939–1944... W czerwcu 1940 r. miały miejsce pierwsze masowe aresztowania polskiej inteligencji i działaczy społecznych... W planach hitlerowskich Zamojszczyzna miała być terenem Niemieckiego Okręgu Przesiedleńczego... Przymusowa akcja wysiedleńcza Polaków, trwająca od listopada 1941 do sierpnia 1943 r., objęła około 110 tysięcy ludzi Zamojszczyzny... Szczególnie tragiczny był los około 30 tysięcy dzieci Zamojszczyzny..." (Katalog Wystawy).

253. „Ziemie Zachodnie i Północne Polski 992–1945". Wystawa archiwalna prezentowana w 1985 r. w Warszawskim Zamku Królewskim, w sali Biblioteki (następnie przewieziona do Zamku Książąt Pomorskich
w Szczecinie, a potem do Muzeum Historycznego we Wrocławiu).

„Dokumenty archiwalne — pamiątki przeszłości, w której zawarte są doświadczenia dziejowe narodu
— nie często opuszczają szafy i mury archiwów. Zwykle dostępne są one wąskiej grupie specjalistów-
-historyków, którzy właśnie dopiero przez swe publikacje przekazują nam treści owych dokumentów...
Wystawa, zorganizowana dla uczczenia 40-lecia Polskiej Rzeczypospolitej Ludowej oraz powrotu Ziem
Zachodnich i Północnych do Polski, jest właśnie jedną z takich nielicznych okazji, kiedy można zobaczyć
dokumenty oryginalne, prawdziwe perły przeszłości tej odległej i niedawnej, przechowywane w archiwach
polskich. Zdumienie budzi, iż mimo tylu burz dziejowych, mimo ogromnych strat pamiątek kultury polskiej, wywożonych i rozkradanych, celowo niszozonych przez najeźdźców, tak wiele cennych dokumentów przeszłości narodowej ocalało, pieczołowicie chronionych, gromadzonych i przechowywanych
w archiwach... Tu pokazywane eksponaty sięgają XII wieku... Zgrupowane zostały w dwóch częściach:
I. Śląsk i Ziemia Lubuska; II. Pomorze, Warmia i Mazury. Jak klamrą spinają te dwie części — wspólny
początek: opis granic Polski około 990 r., za czasów Mieszka I, i wspólne zakończenie: powrót tych ziem
do Polski w 1945 r." (Katalog Wystawy).

DO NAYIASNIEYSZEGO

MIŁOSCIWEGO PANA

STANISŁAWA AUGUSTA

KROLA POLSKIEGO

WIELKIEGO XIĄŻĘCIA LITEWSKIEGO

&c. &c.

NAYIASNIEYSZY KROLU

PANIE MOY MIŁOSCIWY

Znakomite ze wfzech
miar Panowanie WA-
SZEY KROLEWSKIEY MO-
SCI dla wielkiey promocyi, kto-
rą daiefz naukom y umieiętno-
a 3   fciom,

254. Jedna z szaf bibliotecznych (z końca XVIII w.), które stały w Zamku przed 1939 r.

255.–257. Część I tomu pierwszego z 1775 r. sławnych „Zabaw przyjemnych i pożytecznych'' — pisma od-
bijanego od 1771 r. w królewskiej drukarni Grölla. Egzemplarz ten — ze złoconym superekslibrisem króla
wytłoczonym na skórzanej oprawie i z drukowaną dlań dedykacją — pewnie znajdował się w rękach
Stanisława Augusta, wręczony mu przez autorów: Albertrandiego i Naruszewicza.

258. Gabinet Rycin stanisławowski liczył ponad 70 tysięcy cennych sztychów i rysunków. W 1818 r. włączono go do Biblioteki Uniwersytetu Warszawskiego. Mimo znacznych szkód poniesionych podczas okupacji
hitlerowskiej — przetrwały i teki z rycinami, i oryginalne szafy biblioteczne.

259. Odlewy gipsowe sławnych rzeźb starożytnych Stanisław August sprowadzał z myślą o przyszłej Akademii Sztuk Pięknych. W 1818 r. cały zbiór został nabyty przez Uniwersytet Warszawski dla wydziału Sztuk Pięknych i ustawiony w Sali Kolumnowej. Kształciły się tu pokolenia polskich artystów. Po zajęciu Warszawy przez Niemcy hitlerowskie — prawie wszystkie rzeźby zostały potłuczone przez okupantów.

260.–261. Awers i rewers medalu wydanego przez Gabinet Numizmatyczny Zamku Królewskiego w Warszawie dla uczczenia pamięci cennej kolekcji numizmatycznej Stanisława Augusta.

262. **Postać siedzącego w krześle Woltera** — gipsowy odlew rzeźby J. A. Houdona. Przekazany z Francji dar dla odbudowanego Zamku, cenny przez to, że jest on wierną repliką kopii, jaką ongi sam Houdon wykonał dla Biblioteki Królewskiej. Ów posąg Woltera — u którego stóp wyryto hołdowniczy napis ułożony przez Stanisława Augusta — znajdował się pośrodku sali bibliotecznej, w ozdobnej wnęce.
W sali stały również na postumentach marmurowe biusty: papieża Leona X, Ludwika XIV, Cezara i Aleksandra Wielkiego.

264. Budynek Biblioteki Królewskiej wzniesiono w latach 1780–1784 według projektu D. Merliniego. Salę — jedno z najpiękniejszych wnętrz klasycystycznych w Polsce — ozdobiły stiukowe kolumny i płaskorzeźbione medaliony z symbolami nauk, sztuk i gałęzi techniki, wypełniły szafy z tysiącami cennych książek, posągi i popiersia. Na jej zapleczu w osobnych gabinetach i dwupiętrowych podziemiach gromadzono naukowo skatalogowane ryciny, rysunki, mapy, gemmy, numizmaty, okazy przyrodnicze i przyrządy naukowe.

▽

265. Fragment ocalałego marmurowego kominka w Bibliotece: sowa — symbol mądrości.

263., 266. Dwa spośród medalionów zdobiących Bibliotekę: Muzyka i Drukarstwo. Na medalionie poświęconym Drukarstwu napis w charakterystycznym, odwróconym układzie, jakby gotów do odbicia: *,,Gloire à Dieu. Honneur au Roi. Salutes aux Armes.''* ,,Bogu chwała. Królowi cześć. Armii pozdrowienie.'' Napis i dwakroć powtórzona data 1782 przypominają ówczesne żarliwe starania o powiększenie liczby wojsk polskich, ograniczonej ,,gwarancjami'' ościennych mocarstw, starania, które doprowadziły w 1788 r. do uchwalenia przez Sejm Wielki 100-tysięcznej armii.

267.–268. Schody Wielkie wiodące z Bramy Grodzkiej — zrekonstruowane wedle stanu, jaki im nadał „architekt JKMci i Rzeczypospolitej" J. Fontana po pożarze południowego skrzydła Zamku w 1767 r., wprowadzający dekoracje w duchu wczesnego klasycyzmu. Na piętrze skręca się z podestu Schodów Wielkich w jedną stronę ku apartamentom mieszkalnym króla, w drugą — do pokojów królewskiego brata Kazimierza, podkomorzego wielkiego koronnego, i jego syna Stanisława „nieznanego księcia Poniatowskiego".

Owe Schody Wielkie zbudowano w początku XVII w., zapewne wedle planu J. Trevano, projektanta Zamku wazowskiego, aby ułatwiły komunikację między parterową Izbą Poselską a Izbą Senatorską na piętrze.

Z biegiem lat — kiedy obie izby parlamentu znalazły się w zachodnim skrzydle Zamku — Schody Wielkie prowadziły do apartamentów małżonki ostatniego Sasa, z rzadka jednak używanych. Lustracja Zamku po śmierci Augusta III stwierdziła „szczupłość pokojów pryncypialnego piętra, w części skrzydła od strony Wisły cokolwiek przyzwoitych, zaledwie na wypadkową rezydencję zdolnych, w innych skrzydłach same przechody i ordynaryjne pomieszczenia po części zrujnowane..."

Uchwała sejmu konwokacyjnego z 1763 r. dopomogła odnowie Zamku, ale jego wnętrza najcenniejsze — i w zakresie formy architektonicznej, i w zakresie idei organizujących wyposażenie tych wnętrz — zostały ukształtowane przy osobistym wpływie Stanisława Augusta jak też przy udziale jego szkatuły.

269.–271. Jedna z supraport Pokoju Gwardii Konnej Koronnej — znajdująca się nad drzwiami wiodącymi od strony Schodów Wielkich:

— jaka jest obecnie,

— jaka była wydobyta z gruzów,

— i taka jak wyglądała w którymś z kolejnych etapów żmudnego działania rekonstrukcyjnego prowadzonego przez Pracownie Konserwacji Zabytków, PKZ.

Modelowane w stiuku supraporty z wyobrażeniem puttów bawiących się elementami uzbrojenia wojskowego czy instrumentami orkiestry wojskowej podkreślały charakter tej sali jako kordegardy.

272.–273. Pokój Gwardii Konnej Koronnej — otwierający paradne wejście do prywatnych apartamentów królewskich — popularnie zwany Salą Mirowską, miano to wziął od nazwiska pułkownika Wilhelma Miera, dowódcy gwardii królewskiej, która tu pełniła wartę.

Sala Mirowska powstała w 1768 r., równocześnie z przebudową klatki schodowej i także wedle projektu J. Fontany (który ponadto zaprojektował przylegający do kordegardy Pokój Oficerski).

Dekoracja ścian, rozczłonkowana płytkimi arkadami i pilastrami, których głowice są powiązane przez kwietne girlandy ze stiuku, nawiązuje do dekoracji Schodów Wielkich. Sufit ozdobiono gipsowymi gałązkami lauru i kwiatami; nad czterema otworami drzwiowymi umieszczono płaskorzeźbione sceny z panopliami i parą rozbawionych puttów (jedna supraporta jest oryginalna; trzy zostały zrekonstruowane).

W dekorację ścienną wmontowano także fragmenty uratowanych sztukaterii — głowicę pilastra oraz rozety.

274.–275. Pokój Oficerski. Nad drzwiami do Sali Canaletta obraz J. B. Plerscha *Cztery żywioły*. Jest to niewątpliwie najłagodniejsze, najbardziej sentymentalizmem emanujące wyobrażenie czterech żywiołów, jakie można sobie wyobrazić: od pulchnej Ziemi kopiącej coś jakby piłkę, poprzez Powietrze z wiatraczkiem i poprzez Wodę z wędką, aż po Ogień używający szkła powiększającego dla wywołania płomienia.

276.–277. Z Pokoju Oficerskiego, zwanego także Pierwszym Przedpokojem przed prywatnymi apartamentami króla, przechodzi się do ,,trzeciego pokoju wstępowego''.

Był to Przedpokój Senatorski, za Stanisława Augusta określany też jako Pokój Senatorski, Drugi Przedpokój przed Małą Kaplicą, Pokój przed Kaplicą, Pokój Prospektowy albo Pokój Senatorski zwany Canaletta.

I przed 1939 r., i obecnie w powszechnym użyciu jest nazwa Sala Canaletta.

Architektura tej sali, dość skromna, pełnić miała jedynie funkcje obramowania dla powstałego na zamówienie królewskie zespołu 22 widoków Warszawy, namalowanego przez Bernarda Belotta czyli Canaletta wraz z wyobrażeniem *Elekcji Stanisława Augusta.*

Obrazy te stanowiły o wyglądzie sali, o jej treściach ideowych — i oto ją wskrzeszono z najautentyczniejszych elementów pamiętających dobę Oświecenia (piękna podłoga jest odtworzeniem posadzki sprzed 1939 r., ułożonej prawdopodobnie w XIX w.).

Archiwalne zdjęcia pokazują zgrzebny mozół odbudowy, precyzję rekonstrukcji.

Spojrzawszy na następną stronę zobaczyć można stan obecny Sali Canaletta w całym jej blasku.

278. (Ilustracja na stronie poprzedniej.) Sala Canaletta — widok ku otwartym drzwiom wiodącym do Kaplicy
◁ Królewskiej, umieszczonej w murach Wieży Grodzkiej, oraz ku wschodnim porte-fenetrom spozierającym
na Wisłę (przez które można było wychodzić na taras nad Biblioteką Królewską).
Wystrój sali jest taki, jaki w latach 1776–1777 zaprojektował D. Merlini, który po śmierci J. Fontany został
,,architektem JKMci i Rzeczypospolitej''. Ściany są — jak za Stanisława Augusta — szczelnie zapełnione
obrazami Canaletta, odzyskanymi z zaborczych rąk okupantów hitlerowskich, wmontowanymi w ramy
kunsztownie odtworzone na podstawie ocalonych fragmentów.
Centralne miejsce na ścianie południowej zajmuje *Widok ogólny Warszawy od strony Pragi,* a nad nim drugi
obraz dużego formatu *Widok części Warszawy od Pałacu Ordynackiego po Zamek Królewski.*
279. Fragment *Widoku ogólnego Warszawy od strony Pragi* — portret króla wskazującego na stolicę,
udzielającego rad i zachęt malarzowi siedzącemu przy płótnie i malującemu tę właśnie panoramę datowaną 1770 r. ,,Nikt przed tym wenecjaninem — pisze M. Wallis — tak subtelnie nie odczuł pięknego położe-
nia Warszawy nad szeroką rzeką, malowniczego układu jej zamków, pałaców, kościołów, domów, dworów,
murów obronnych i ogrodów, częściowo stłoczonych, częściowo szeroko rozciągniętych na stromym
wzgórzu nadwiślańskim. Nikt nie wydobył tak świetnie jej charakteru wielkomiejskiego i stołecznego...''
▽

280. Fragment *Widoku ogólnego Warszawy od strony Pragi.* ,,Rozpoznajemy kolejno w tym malowniczym układzie... wieże kościoła dominikanów przy ulicy Freta, paulinów przy ulicy Nowomiejskiej, misterne roko-kowe wieżyczki kościoła pijarów przy ulicy Długiej, średniowieczną basztę obronną zwaną Okrągłą lub Marszałkowską, obudowaną w XIX wieku murami kamienic, strzelistą wieżę kościoła jezuitów przy ulicy Świętojańskiej, absydę kolegiaty św. Jana, Zamek Królewski..."

Ten widok Warszawy od strony Pragi był wielokrotnie przedstawiany w malarstwie i grafice od XVI w. — zawsze jednak ukazywano budowle miejskie w płaszczyźnie równoległej do płaszczyzny obrazu, w uję-ciu ściśle czołowym, jednostajnym i schematycznym. Belotto pierwszy pokazał widok Warszawy w skrócie perspektywicznym, wydobył jego nastrojowość.

Bernardo Belotto w Polsce zwany Canalettem — spadkobierca tradycji rodu weneckich malarzy Canalów — swoją długą, opromienioną sławą pracę pędzla ukoronował trzynastoletnim dorobkiem twórczym zreali-zowanym w Warszawie, do której trafił niemal przypadkiem, a której stał się wierny aż do śmierci. Malarz nadworny Augusta III w Dreźnie, malarz nadworny cesarzowej Marii Teresy w Wiedniu — poznał burze wojny siedmioletniej i gorycz zniszczenia Drezna przez pruskie wojska Fryderyka II. W 1767 r. — dążąc do Petersburga — jechał przez Warszawę, i tu go zatrzymał hojny, światły mecenat Stanisława Augusta.

▽

281.–282. Świetlista wizja Zamku na obrazie Canaletta *Widok Warszawy od Pałacu Ordynackiego*. Obok da-
towany 4 listopada 1939 twardy zapis w dzienniku Hansa Franka, władającego tzw. Generalnym Guberna-
torstwem, wykrojonym z zajętej przez Niemców Polski: „...Führer omówił z panem generalnym gubernato-
rem ogólną sytuację, poinformował go o swoich planach i wyraził aprobatę dla działalności generalnego
gubernatora w Polsce, zwłaszcza dla zburzenia Zamku w Warszawie..."

283.–285. Zdjęcie ukazujące jeden z etapów niszczenia i rabowania Zamku — wykonane z narażeniem życia przez przedstawicieli frontu walki o kulturę polską. Oryginalny napis na odwrocie odbitki fotograficznej
głosi: „Warszawa — Zamek 28.XI.1939. W rogu minerzy niemieccy wiercą otwory na miny."

Stanisław Lorentz, organizator ratowania Zamku, pisał: „...czy można było podejrzewać, że pomnik kultury jednego narodu może być unicestwiony przez inny naród, głoszący stale światu swe zasługi w dziedzinie kultury, nie w wirze walk, lecz po ich zakończeniu, na chłodno, z wyrozumowania, z pełną
świadomością?..."

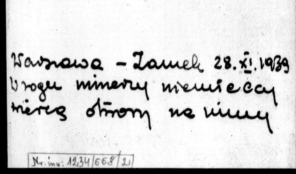

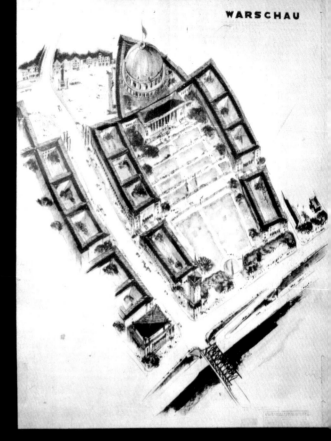

WARSCHAU

286. W archiwum Głównej Komisji Badania Zbrodni Hitlerowskich w Polsce, w przekazanym z Norymberg odpisie dzienników generalnego gubernatora Hansa Franka — stronica z ową pochwałą Hitlera dla zniszczenia Zamku.

287.–288. Jeszcze stały mury Zamku — a wykonany w Berlinie w 1942 r. rysunek (część tzw. planu Pabsta przedstawiał widziane od strony Wisły miejsce po Zamku i projektowaną tam „Kongress- oder Volkshalle''

290. Wydana konspiracyjnie w okupowanej Warszawie w 1942 r. publikacja *Niszczyciele*, pióra Zofii Kossak, stwierdzała: „...propaganda niemiecka szerzy wśród przybywających do Warszawy Niemców wiadomość, że to Polacy sami zniszczyli w ten sposób Zamek, aby nie dostał się w ręce niemieckie.''

BERLIN OKTOBER 1942
DER ARCHITEKT //

ATELIER HANS HUBERT LEUFGEN
IN GEMEINSCHAFT MIT OBERBAURAT PABST
ARCHITEKT B.D.A.
MITGLIED DER REICHSKAMMER DER BILDENDEN KÜNSTE
BERLIN-ZEHLENDORF, EISVOGELWEG 56, TEL.: H 1-5047

| HAUS: STÄDTEB. BEBAUUNG | GEZEICHNET: | BLATT Nr.: 13400 |
| ORT: WARSCHAU | DATUM: 2.10.42 | GEPRÜFT: |

289. W zbiorach Głównej Komisji Badania Zbrodni Hitlerowskich w Polsce jest też kartoteka fotografii ukazująca działania minerów niemieckich w Warszawie w 1944 r. — którą systematycznie prowadzi Diplom. Architekt A. Mensebach. W tej kartotece znajduje się zdjęcie z 8 września 1944 opatrzone opisem „przygotowania do wysadzenia byłego Zamku Królewskiego nad Wisłą".

291.–292. *German Destruction of Cultural Life in Poland, The Nazi Kultur in Poland* — publikacje podczas II wojny światowej wydane w Nowym Jorku i w Londynie, oparte o materiały przekazane przez tajnych kurierów z Warszawy, mówiące o niszczeniu kultury w okupowanej Polsce.

293.–297. (Ilustracje na następnych stronach.) Dokumentarne zdjęcia z okresu 1939–1945. Ruiny Zamku.

NISZCZYCIELE

WYDAWNICTWO
FRONTU ODRODZENIA POLSKI

DOCUMENTS

Relating to the

ADMINISTRATION OF
OCCUPIED COUNTRIES
in
EASTERN EUROPE

No. 2

German Destruction of
Cultural Life in Poland

109246

The Nazi
Kultur
in Poland

Written in Warsaw under the German Occupation and
published for the Polish Ministry of Information by
HIS MAJESTY'S STATIONERY OFFICE
LONDON   1945

298.–299. Kaplica Królewska, urządzona w murach Wieży Grodzkiej na polecenie Stanisława Augusta, zaprojektowana przez D. Merliniego jako harmonijne klasycystyczne wnętrze — stan przed 1939 r. Kaplica nie uległa uszkodzeniom podczas działań wojennych we wrześniu 1939 r. Zdewastowano ją podczas niemieckiej akcji niszczenia i rabowania Zamku. Zrujnowaną kaplicę widać na dokumentarnym zdjęciu — wykonanym wbrew zakazom okupanta, przewiezionym przez tajnego kuriera poprzez fronty

300.–302., 305.–306. Jeszcze trwały walki II wojny światowej, a już 3 maja 1945 w Muzeum Narodowym w stolicy otwarto wystawę *Warszawa oskarża*, obrazującą ogrom zniszczeń i strat poniesionych w dziedzinie kultury wskutek planowej akcji niszczycielskiej. Wystawę obwieszczał dramatyczny plakat z trzema krzyżami.

Przewodnik po wystawie, wydrukowany w czterech językach, głosił: „Zniszczenie symbolów państwowego bytu naszego narodu, wymazanie tych widomych składników naszej kultury, które stanowiły o jej odrębności i o jej splendorze... wraz ze zburzeniem warsztatów naukowych i wychowawczych miało nam przynieść śmierć kulturalną, śmierć narodową.''

303.–304. Od zakończenia wojny Wydział Rewindykacji i Odszkodowań należący do Naczelnej Dyrekcji Muzeów i Ochrony Zabytków publikował w kilku językach materiały przygotowywane podczas okupacji przez najwybitniejszych naukowców, m.in. W. Suchodolskiego *Zagadnienie prymatu spraw kultury w ogólnym programie odszkodowań*. W 1946 r. wydano w tej serii S. Lorentza *Zburzenie Zamku Królewskiego w Warszawie* z reprodukcjami kilku zdjęć wykonanych podczas wojny, wśród których zamieszczono też fotografię

WARSZAWA
OŚKARŻA

WYSTAWA W MUZEUM NARODOWYM

MINISTERSTWO KULTURY I SZTUKI
I MINISTERSTWO ODBUDOWY KRAJU

WARSZAWA OŚKARŻA

PRZEWODNIK PO WYSTAWIE
URZĄDZONEJ PRZEZ BIURO
ODBUDOWY STOLICY WESPÓŁ
Z MUZEUM NARODOWYM
W WARSZAWIE

WARSZAWA / MAJ–CZERWIEC / 1945

МИНИСТЕРСТВО КУЛЬТУРЫ И ИСКУССТВА
И МИНИСТЕРСТВО ВОССТАНОВЛЕНИЯ СТРАНЫ

ВАРШАВА ОБВИНЯЕТ

ПУТЕВОДИТЕЛЬ ПО ВЫСТАВКЕ
ОРГАНИЗОВАННОЙ БЮРО ВОССТА-
НОВЛЕНИЯ СТОЛИЦЫ СОВМЕСТНО
С НАЦИОНАЛЬНЫМ МУЗЕЕМ
В ВАРШАВЕ

ВАРШАВА / МАЙ — ИЮНЬ / 1945

MINISTERSTWO KULTURY I SZTUKI

Prace i Materiały Wydziału Rewindykacji i Odszkodowań

Nr 4

STANISŁAW LORENTZ

ZBURZENIE ZAMKU KRÓLEWSKIEGO W WARSZAWIE

WARSZAWA 1946

Widok z sali Canaletta na kaplicę. Stan z r. 1940.

MINISTRY OF CULTURE & ART AND
MINISTRY OF RECONSTRUCTION OF THE COUNTRY

WARSAW ACCUSES

GUIDE·BOOK TO THE EXHIBITION
ARRANGED BY THE OFFICE OF RE-
CONSTRUCTION OF THE CAPITAL
TOGETHER WITH THE NATIONAL
MUSEUM IN WARSAW

WARSAW / MAY – JUNE / 1945

MINISTÈRE DE LA CULTURE ET DE L'ART ET
MINISTÈRE DE LA RECONSTRUCTION NATIONALE

VARSOVIE ACCUSE

*Guide de l'Exposition organisée par
le Bureau de la Reconstruction
de la Capitale de concert avec
le Musée National de Varsovie*

VARSOVIE / MAI – OCTOBRE / 1945

307.–309. Przywrócona do życia Kaplica Królewska znów wzbudza zachwyt doskonałością rozwiązań architektonicznych, szlachetnością proporcji.

Przede wszystkim jednak każe myśleć o bezmiernym poświęceniu i najpiękniejszym uporze tych, którzy wśród niszczycielskiej akcji wroga ratowali każdy kamień, każdy ułomek cennej przeszłości, uzyskując — wbrew niemożliwościom — tak nawet ogromne osiągnięcia jak zabezpieczenie sześciu „malachitowych" kolumn na osiem stojących w prezbiterium Kaplicy.

Następcy uczyli się szacunku dla historii, podejmowali mozolny trud odtwarzania tego, co zniszczone.

Zniszczenie nadbiegło szybko.

Odtwarzanie ciągnęło się w nieskończoność. Trzeba znów poświęcenia i szlachetnego uporu, żeby wytrzymać godziny, dni, tygodnie nakładania płateczków złota na bazy kolumn, na korynckie kapitele...

309 a. W dniu 8 czerwca 1987 Papież Polak Jan Paweł II podczas trzeciej pielgrzymki do Ojczyzny, spotykając się w Zamku Królewskim z Przewodniczącym Rady Państwa Generałem Wojciechem Jaruzelskim, powiedział:

„Zamek Królewski w Warszawie doczekał się odbudowy z ruin. Te ruiny znikły, ale nie znikła ze świadomości Polaków — podobnie zresztą jak wielu innych narodów europejskich — pamięć II wojny światowej."

„Zamek ten, zniszczony jak i cała Stolica w czasie II wojny światowej, doczekał się odbudowy i może nadal świadczyć o tradycjach polskiej państwowości. O dziejach niepodległej i suwerennej Ojczyzny".

Podczas krótkiego zwiedzania Zamku, przybywszy do Kaplicy Królewskiej, Ojciec Święty wręczył swój kolejny dar: kielich mszalny i patenę z XVII wieku.

310.–311. XVI-wieczny obraz ze szkoły ferra-
ryjskiej ukazujący św. Jana Chrzciciela oraz
XIX-wieczna mozaika wykonana w Watykanie
przedstawiająca św. Piotra i Pawła — dary
Papieża Polaka Jana Pawła II z jego pierwszej i drugiej pielgrzymki do Ojczyzny w latach 1979 i 1983 — znalazły najgodniejsze
pomieszczenie w Kaplicy Królewskiej.

W tym właśnie miejscu wznosiły się piastowskie mury Wieży Grodzkiej i przylegająca do
nich ,,półwieża" zbudowana za Zygmunta Starego, tu na pierwszym piętrze Zygmunt August
polecił urządzić kaplicę, która odtąd nosiła
miano ,,kaplicy zygmuntowskiej" — miano to
potwierdziła lustracja z 1696 r.

Wedle tradycji, w tej kaplicy stała trumna ze
zwłokami Jana III — lustracja z 1763 r. mówi
o ,,kaplicy króla Jana" (choć za Sasów wnętrze
przeznaczono na inne cele).

Za Stanisława Augusta znów tu urządzono
kaplicę — wedle projektu D. Merliniego. Jedno
z najpiękniejszych wnętrz zamkowych.

W odrodzonej Polsce tu od 1927 r. do wojny
stała urna z sercem Tadeusza Kościuszki.

312. Odtworzona kopuła prezbiterium Kaplicy Królewskiej ze stu dwudziestoma rozetami, mająca w centrum wyobrażenie Ducha Św. jako gołębicy (autentyczne, jak i niektóre rozety oraz część promieni).

313. (Ilustracja na następnej stronie.) Głowice „malachitowych" kolumn podtrzymujących gzyms sklepienia prezbiterium. Autentyczne, w ogniu złocone, uratowane z wojennej zagłady, późną jesienią 1939 r. przewiezione do Muzeum Narodowego, wrócone na swe miejsce w Kaplicy.

Kaplica Królewska — pieczołowicie zrekonstruowana — składa się z dwóch pomieszczeń: prezbiterium oraz nawy (za Sasów będącej Garderobą). Projekt przerobienia Kaplicy w myśl życzeń króla wykonał w 1777 r. D. Merlini, niewielkiemu kwadratowemu wnętrzu prezbiterium nadając przy pomocy ośmiu kolumn kształt rotundy. Na kolumnach spoczęło belkowanie; na nim zasklepiono kasetonową kopułę z rozetami (właściwie „kopułkę" — jak słusznie pisze A. Król; tyle że świetne proporcje jakby rozszerzają to drobne wnętrze). Ściany i wnęki okien ozdobiono stiukiem w kolorze kontrastującym z „malachitowymi" kolumnami. Pośrodku rotundy stanął ołtarz z rzeźbionym w koralu krucyfiksem, będącym darem papieża Piusa VI dla Stanisława Augusta; był też w ołtarzu obraz *Chrystus naigrawany przez Żydów* Rembrandta lub ze szkoły Rembrandta (wyposażenie ołtarza zaginęło już w XIX w.).

Ściany nawy ozdobiono rzeźbionymi złoconymi listwami, sufit zachowano gładki, jak w sąsiedniej Sali Canaletta. Drzwi między prezbiterium i nawą pozwalały albo łączyć oba te pomieszczenia w jedną przestronniejszą całość Kaplicy Królewskiej, albo odseparowywać prezbiterium i udostępniać nawę osobom będącym w Sali Canaletta czyli w Przedpokoju Senatorskim.

314., 316.–317. Pełen życia i ruchu obraz *Widok Krakowskiego Przedmieścia od Kolumny Zygmunta*, namalowany 1767–1768 r., wnet po przyjeździe Canaletta do Polski — dziś wiszący w sali jego imienia, na ścianie zachodniej, od strony Pokoju Oficerskiego, tak jak za Stanisława Augusta. (Całość i fragmenty.)
Malarz — stale obcujący z ludźmi na szczytach ówczesnej hierarchii społecznej — równie wnikliwie obserwował szczyty kominów, a na nich zwinnych kominiarzy. U podstaw wyniosłej kolumny królewskiej nie przeoczał pracowitych przekupek, ludzi czekających na robotę, leniwie rozwalonych obiboków. Jako twórca niezliczonej liczby miniaturowych, realistycznie ujętych scen ulicznych Warszawy — Canaletto stał się jednym z pierwszych malarzy niekonwencjonalnie ujętego autentycznego polskiego życia.

315. Kiedy wracamy z Kaplicy Królewskiej do Sali Canaletta — pewnie przy drzwiach zatrzyma nas kolejna fala zwiedzających.
Ten współczesny ludzki wir zdaje się chwilami stapiać z fascynującym barwnym filmem z życia Warszawy stanisławowskiej, jaki się przed nami przesuwa na obrazach Canaletta.
Niecodzienną osobowością był ów malarz, który z równą pasją i precyzją uwieczniał bogactwo jak też nędzę i który za-pan-brat rozmawiał z królem. Niecodzienną osobowością był ów polski król doby Oświecenia, który pozwolił (polecił?) namalować siebie w 1770 r. podczas rozmowy z malarzem w *Widoku ogólnym Warszawy od strony Pragi* i który tę demokratyczną scenę kazał w 1777 r. naprzeciw swej uroczystej *Elekcji* umieścić w prestiżowym miejscu południowej ściany w sali, jeszcze nie noszącej imienia artysty, a będącej Przedpokojem Senatorskim przed salą audiencji królewskich.

318. Sala Canaletta — Przedpokój Senatorski — widok od drzwi Kaplicy Królewskiej ku ścianie zachodniej z kominkiem (uratowany autentyk!) i północnej, graniczącej z Salą Audiencjonalną Dawną.

Tu w antykamerze co dzień gromadzili się dostojnicy, goście i petenci w oczekiwaniu na posłuchanie u króla. Projektując w 1776–1777 r. wyposażenie tego Przedpokoju Senatorskiego D. Merlini przewidział dyskretną dekorację ścian, służącą za tło umieszczonych tu obrazów. Jako wyraźne akcenty architektoniczne wprowadził tylko dwie konchowe nisze w owej ścianie sąsiadującej z salą audiencji — a między nimi umieścił reprezentacyjny obraz *Elekcja Stanisława Augusta.*

Wykorzystując to, że w XVIII w. widok miejski stał się jednym z ulubionych rodzajów malarskich epoki (pod wywodzącą się z włoskiego nazwą ,,weduty" lub ,,prospektu") — jak i to, że przebywający w Polsce słynny twórca wedut Belotto-Canaletto okazał się arcymalarzem warszawskiej ulicy — podjęto decyzję umieszczenia w tejże sali zestawu powstających już od lat jego obrazów z Warszawy. Dopełniono ściany jego dziesięcioma prospektami Rzymu.

Opis sali z 1777 r.: ,,Sztuki prospektów różnych, po większej części samych krajowych, z tych zaś najwięcej miasta Warszawy z pryncypialniejszymi w niej znajdującymi się budowlami, jako to: Zamku, różnych pałaców, kościołów, ogrodów etc. potem zaś i wilanowskiego pałacu z całą onegoż pozycją. Wszystkich przez pomienionego im. P. Canaletto olejnymi farbami na płótnie malowanych i w tymże Pokoju Senatorskim na ścianach i supraportach według miary i miejsca postawionych, a raz na zawsze służyć tu mających... między którymi jeden elekcji Najjaśniejszego Króla JMci Miłościwego znajduje się."

W 1778 r. zawieszono nową wersję *Elekcji* i stopniowo weduty Rzymu zastąpiono widokami Warszawy.

319. „Sala Canaletta" na poświęconej Zamkowi wystawie w Muzeum Narodowym w 1971 r. Prof. S. Lorentz — oprowadzając zwiedzających — przypominał burzliwe dzieje słynnego zespołu warszawskich prospektów Bernarda Belotta zwanego Canalettem.

Już w czasach Księstwa Warszawskiego na żądanie Napoleona cztery obrazy pojechały do Paryża, skąd wróciły dopiero po Kongresie Wiedeńskim 1815 r. Po upadku powstania listopadowego cały zespół wywieziono do Rosji, skąd zostały zwrócone w 1922 r. w rezultacie ustaleń traktatu ryskiego.

Podczas II wojny światowej obrazy Canaletta — ukrywane przez pracowników Muzeum Narodowego — zostały zarekwirowane w 1940 r. i wywiezione do Niemiec, skąd je rewindykowano w 1945 r.

„Zespół widoków Canaletta jest dla nas bezcenny. Odtwarza ulice, place i gmachy, ale też ludzi różnych stanów, sceny uliczne, życie miasta, pokazuje karety i wozy chłopskie, magnatów i mieszczan, przekupki i żebraków. Obrazy te posiadają wysoką wartość artystyczną, co ocenione zostało należycie dopiero w ostatnich czasach. Pokazaliśmy w ciągu ostatnich kilkunastu lat nasz cały zespół obrazów Canaletta, liczący 30 pozycji, na wystawie w Wenecji, Rotterdamie, Londynie, Dreźnie, Wiedniu i Essen, a po kilkanaście obrazów na naszych wystawach millenialnych w Chicago, Filadelfii, Ottawie, Paryżu i Londynie. Krytycy artystyczni określili te wystawy jako niezwykłe odkrycie doskonałego malarza wedut, w których widoki miasta i architektury komponują się z krajobrazem i sztafażem." (S. Lorentz).

320. (Ilustracja na następnej stronie.) Sala Canaletta przed 1914 r., pozbawiona warszawskich wedut.

321.–323. (Ilustracje na następnych stronach.) Sala Canaletta przed 1939 r. Widać zmiany w sposobie rozmieszczenia obrazów.

324. Półkolisty tympanon wschodniej elewacji Pałacu pod Blachą — odtworzony w czasie odbudowy.

325.–326. Pałac pod Blachą od wschodu — na obrazie Canaletta *Widok ogólny Warszawy od strony Pragi* i na zdjęciu współczesnym, również od strony Wisły wykonanym. Późnobarokowy, rokokowymi ornamentami ozdobiony Pałac pod Blachą — rozbudowany dla Lubomirskich na przełomie XVII i XVIII w. z usytuowanej na tym miejscu kamienicy Reffusa — w obecnym kształcie powstał w latach 1720–1730 jako budynek czterokondygnacjowy od skarpy wiślanej, dwukondygnacjowy od strony dziedzińca (gdzie wzniesiono też skrzydła boczne.) Nazwę swą zyskał od pokrycia dachu blachą miedzianą, co w XVIII w. było w Warszawie rzadkością.

Stanisław August już w październiku 1771 r. pisał do A. Naruszewicza, obejmującego redakcję ,,Zabaw przyjemnych i pożytecznych''; ,,mieszkanie Twoje już tu Ciebie oczekuje w pałacu, który zwał się Pod Blachą, na Podzamczu''. Nabyty przez króla w 1776 r., Pałac pod Blachą wszedł odtąd w skład zabudowań zamkowych.

Zdzisław Kleszczyński, *KSIĄŻĘ*

*(wiersz napisany w okresie przygotowań
do walki o odzyskanie Niepodległości)*

... — Książę osłonisz odwrót Armii.
— Sire.

    (Hejże! Nie ma dzisiaj śpiewki,
    kiedy ułańskie chorągiewki
    polegly w polu, w bitwy czas).
Książę osłoni odwrót Armii.
Lwy — lwią się krwią do syta karmi —
gdzie-bo nie posyłano nas?!

Och! mundur wodza przed wylotem
kul. Żołnierz ściele się pokotem...

Książę!
    Daleko Polska Twa...
Kiedyś, złocisty królewiczu,
bawiłeś strojne grono dam.
Pod Blachą byłeś sam, paniczu,
swój polski sen o polskim zniczu
w spuściźnie przekazałeś nam.
Sam byłeś, gdy różane roje
patrzyły w piękne oczy Twoje,
sam byłeś, kiedy Amor blady
pierzchł o poranku niepowrotnie,
bo go przeraził słońca błysk
na rękojeści Twojej szpady.

Książę!
    Daleko Polska Twa...
Nim los nam sztandar w strzępy potnie,
jutro przyniesie krwawy zysk.
Ty potrafiłeś stać do końca.
Książę poznaczył mocne ściegi
krwią. Polak dziś ich nie rozwiąże.
Puchar wypełnił się po brzegi.
Nie będziem pisać Ci elegii.

Książę!
    Tyś między polskie bohatery
wszedł i zostaniesz niepowrotnie.
Nie będzie tułać się samotnie
wiatr, co nam powiał od Elstery.
To, co wiatr przyniósł w swoim szumie,
pokocha każdy i zrozumie.

Książę!
    Bliższą dziś Polska Twa.
Z dalekich krajów i wylądów,
gdy się orłowi płacy zbiegą,
powstaną stróże, którzy strzegą
Sądów.
    Obudzą zmarłe Polski woje,
powiedzą gromko imię Twoje:
iżeś niewolne zmazał błędy,
iżeś wyśpiewał pieśń uniesień,
iżeś, rycerzu doskonały,
godzien najwyższej wieków chwały:
    Legendy!

327.–329. Pałac pod Blachą od strony dziedzińca — na obrazie Canaletta *Widok Warszawy z tarasu Zamku Królewskiego*, na dokumentarnej fotografii z 1945 r. i na zdjęciu współczesnym.

Z dziejów Pałacu zanotujmy kilka wydarzeń, które szczególnie wpisały go w dzieje Warszawy i Polski:

W okresie 1780–1784 D. Merlini nadbudował jego północne skrzydło, łącząc je z nowo wzniesionym budynkiem Biblioteki Królewskiej na pomieszczenie części jej cennych zbiorów (owo dodatkowe piętro zostało usunięte przez A. Szyszkę-Bohusza w 1936 r.).

Od 1793 r. mieszkał w darowanym mu Pałacu bratanek króla książę Józef Poniatowski. Długo był on wzorem dla złotej młodzieży, hulaszczej i sfrancuziałej (aż krążył wierszyk L. Osińskiego: ,,Jeszcze Polak po polsku i mówi, i czyta, bo nie cała Warszawa jest blachą pokryta''). Potem książę Józef — wykorzystujący swe doświadczenia z wojny polsko-rosyjskiej 1792 r. i z insurekcji kościuszkowskiej 1794 r. — został ministrem wojny w Księstwie Warszawskim, naczelnym wodzem armii polskiej w zwycięskiej kampanii przeciw Austrii w 1809 r. Jako jeden z dowódców napoleońskiej wyprawy 1812 r., osłaniał odwrót Napoleona aż do swej śmierci w nurtach Elstery pod Lipskiem. Dla pokoleń walczących o odzyskanie niepodległości książę Józef stał się symbolem niezłomnego bohatera wiernego Ojczyźnie.

W wolnej Polsce Pałac pod Blachą oddano biurom Ministerstwa Spraw Wojskowych, a od 1926 r. stał się on siedzibą biur kancelarii Prezydenta RP.

Pałac pod Blachą, tak jak i Biblioteka Królewska, nie uległ wysadzeniu w 1944 r. (spłonął korpus Pałacu i południowe skrzydło). Odbudowywany etapami od 1945 do 1949 r., przejściowo oddano Archiwum Głównemu Akt Dawnych, potem Naczelnemu Architektowi Warszawy na jego siedzibę i biura, działające tu do 1988 r. W procesie odbudowy i rekonstrukcji zabytkowych budynków Stolicy — pomocą bywały obrazy Canaletta z ich precyzją i wartością dokumentarną (co aż stało się swoistą legendą).

330.–331. Malowany na tynku plafon w sąsiadującej z Salą Canaletta Sali Audiencjonalnej Dawnej: *Rozkwit sztuk, nauk, rolnictwa i handlu pod panowaniem pokoju w Polsce* (całość i fragment) — stan przed 1939 r. Postacie oznaczały wedle XVIII-wiecznego opisu „sztuki różnych umiejętności, jak Geografii, Malarstwa, Kupiectwa, Snycerstwa i Rolnictwa, z przydaniem do tego dwóch jeszcze innych figur, jednej Geniusza Polskiego, drugiej Pokoju".
Podczas dewastowania Zamku przez hitlerowców — próbowano ocalić ów najpiękniejszy z plafonów Bacciarellego, nie tknięty działaniami wojennymi. „Zostały ustawione rusztowania — wspomina B. Gerquin, uczestnik tej akcji — i konserwator Bohdan Marconi rozpoczął podklejanie plafonu, a następnie miano go pociąć na kawałki i przewieźć do Muzeum. Zupełnie niespodziewanie w dniu 8 grudnia 1939 roku Niemcy kazali całej ekipie muzealnej natychmiast opuścić Zamek... przystąpili do usuwania podciągów stalowych, ułożonych dla wzmocnienia stropów..."
Podcięty strop runął, ścierając malowidło na proch.

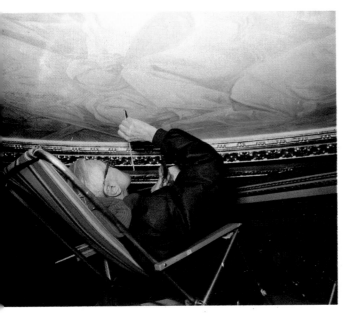

332.–336. Kiedy już murarze zakończyli swoje prace rekonstruujące bryłę Zamku, kiedy już położono tynki we wnętrzach — do Sali Audiencjonalnej Dawnej weszli sztukatorzy, a po nich pozłotnicy, aby dzień po dniu, tygodniami, żmudnie i precyzyjnie przygotować gładź sufitu pod plafon, stworzyć dlań krągłą, ozdobną ramę.

I dopiero wtedy prof. Janusz Strzałecki — który od dawna studiował zachowane fotografie i opisy, wykonywał niezliczone szkice i próby kolorystyczne — przystąpił do odtwarzania wizji Bacciarellego.

Plafonowi, zwanemu też *Geniusz Polski*, przywrócono urodę i wielopiętrowe bogactwo znaczeń wnikliwie odczytanych przez A. Rottermunda: oświeceniowe idee polityczno-społeczne, apoteozę osoby króla, odwoływanie się do wolnomularstwa. Dla przykładu: na plafonie Malarstwo przy sztalugach maluje Minerwę, patronkę nauk i sztuk, polecającą monogram króla Saturnowi, który odgrywał rolę w symbolice masońskiej i pod którego znakiem urodził się Stanisław August.

337.–340. Uratowane autentyczne supraporty M. Bacciarellego z Sali Audiencjonalnej Dawnej, które w myśl życzeń Stanisława Augusta towarzyszyły jego tronowi. Dopełniając symboliki plafonu, przedstawiały one kardynalne cnoty władcy niezbędne dla zapewnienia krajowi pokoju i rozkwitu: Pobożność, Mądrość, Sprawiedliwość i Siła.

341. (Ilustracja na następnej stronie.) Sala Audiencjonalna Dawna — albo: Stara — w stronę Sali Canalet- ▷ ta, odtworzona przy użyciu ocalonych elementów; tak samo wyglądała po przebudowie 1775–1777 wedle projektu D. Merliniego. Tu gdzie na zdjęciu stoi zegar, przy ścianie na wprost okien, stał tron królewski pod pieczą spoglądających nań orłów. Po kolejnych zmianach w Zamku — powrócił on na to miejsce.

342. Orzeł znad lustrzanej tafli — mający autentyczne, uratowane skrzydła.

343.–344. Rekonstruowanie kunsztownej posadzki — pawimentu z wielu gatunków drewna, której wielka „wirująca" rozeta jest odpowiednikiem okrągłego plafonu.

345. Sala Audiencjonalna Dawna — widok ku Sypialni Króla.

Od elekcji sala ta służyła Stanisławowi Augustowi do udzielania posłuchań. Inwentarz z 1769 r. zanotował: „przy ścianie od strony pokoju Sypialnego stał tron królewski..." Zakończona w 1777 r. przebudowa wnętrza zamieniła ów pokój w dzieło sztuki, w którym kompozycja architektoniczna, obrazy, rzeźby i ozdobne sprzęty stworzyły jednorodną całość artystyczną i treściową.

△
347. Sala Audiencjonalna Dawna w stronę Sali Canaletta — zdjęcie sprzed 1939 r.

Kustosz zamkowy K. Brokl pisał w *Przewodniku* z 1936 r.: „Sala ta, znajdując się w murach zamku gotyckiego, tworzyła aż do XVIII w. wraz z poprzednią salą — Canaletta — i następną Sypialnią oraz z przyległym kurytarzem od strony dziedzińca głównego tj. na całej szerokości budynku... wielką Salę Sejmową, z którą łączą się najważniejsze momenty dziejów Polski."

Piastowskie mury zburzono nam. Ale odtworzyliśmy ich odwieczny kształt, aby pamiętać, że od Jagiellonów w tym właśnie skrzydle Zamku mieściła się Izba Senatorska, czyli Sala Sejmowa przyjmująca trzy stany: króla na majestacie, senatorów i posłów. W czasach saskich powierzchnię Izby Senatorskiej podzielono na mniejsze sale. Jedna z nich za Stanisława Augusta służyła audiencjom królewskim, stąd jej nazwa. Przydomek „Dawna" albo „Stara" otrzymała w 1781 r., kiedy w Apartamencie Wielkim nowo urządzona Sala Tronowa zaczęła przyjmować spotkania o charakterze szczególnie reprezentacyjnym.

◁ **346. Wśród ocalonych obiektów Sali Audiencjonalnej Dawnej pamiętających czasy stanisławowskie (a wymienić wśród nich trzeba — oprócz supraport, portretów, orłów i fragmentów boazerii — jeszcze liczne części kominka, cztery złocone konsole, a także apliki przyścienne paryskiego warsztatu E.M. Falconeta) uwagę zwraca wielki rotacyjny „zegar kształt wazonu mający", wykonany przez polskich rzemieślników wedle rysunku J.L. Prieura ok. 1770 r., wymieniany w tej sali przez inwentarze z 1795 i 1808 r. Ta oryginalna kompozycja łączy prosty kształt ciemnej wazy z ekspresyjną formą złoconych uchwytów (modelowane w brązie skręcone pędy winnej łozy); złocony wąż wskazuje godziny na obracającej się taśmie.**

348.–350. Głowa Herkulesa i łeb lwa z kominka w Sali Audiencjonalnej Dawnej, który na zamówienie Stanisława Augusta został sprowadzony z Rzymu. Uratowane autentyki, przywrócone na swe miejsce.

349. Ocalony orzeł z Sali Audiencjonalnej Dawnej oraz części dekoracji naściennych — dokumentalne zdjęcie z okresu gromadzenia i inwentaryzowania w pracowniach konserwatorskich wszystkich elementów pozostałych z Zamku. Wśród tysięcy uratowanych fragmentów wystroju — orły zaprojektowane przez D. Merliniego ok. 1774 r. zwracają uwagę pięknem wykonania.

352. Ta sama sala wystawy zamkowej w Muzeum Narodowym w 1971 r. — ▷
widok w stronę, gdzie znajdował się dział ekspozycji poświęcony Sali Tronowej oraz Sali Canaletta. Przypomnienie bogactwa zamkowych zbiorów, których podwaliną była kolekcja Stanisława Augusta.

Zasłużony badacz zamkowych tajemnic K. Skórewicz w swym opracowaniu z 1924 r. omawiał wciąż żywą wówczas tradycję stanisławowską:

,,...nie tylko malarz Bacciarelli ozdobił sufity pięknymi obrazami, nie tylko długi szereg artystów pracował nad rzeźbą i ozdobami; wielka ilość rzeczy skupuje się i sprowadza z zagranicy i ze starych zamków... W Sali Jadalnej, dawnej «Rady», zawieszono 64 obrazy pierwszorzędnych malarzy, były więc tam obrazy Rubensa, kilka obrazów szkoły holenderskiej itp. ...

Nie będziemy wymieniali tu ilości i opisywali, jak wyglądały weneckie i czeskie żyrandole, brązy Caffieriego, arrasy, makaty złotem tkane itd. Ile tego było w 23 komnatach króla, ile w pokojach dworu częściowo tylko wykazują inwentarze z lat 1769, 1808 i niezupełny inwentarz z r. 1795; wyliczono tam około 9600 sztuk mebli, zdobnych brązów, obrazów i innych «effektów».

Nic też dziwnego, że powstała legenda, że gdy po podziale Polski do Petersburga wywożono z Zamku dzieła sztuki — pierwszy wóz długiej karawany stanął w Wilnie, gdy ostatni z Zamku wyruszył.''

Gęste zawieszenie ściany obrazami na wystawie zamkowej nawiązuje do wykonanych na polecenie Stanisława Augusta przez J.Ch. Kamsetzera projektów ozdobienia Garderoby i Gabinetu.

Zestaw malowideł na wystawie zamykały z dwóch stron obrazy o charakterystycznym, zaokrąglonym u góry kształcie — to *Młody Cezar przed pomnikiem Aleksandra Wielkiego* i *Wielkoduszność Scypiona*, dwa płótna z cyklu zamówionego w Paryżu przez króla Stanisława Augusta.

351. Jedna z sal wystawy poświęconej Zamkowi Królewskiemu, otwartej w Muzeum Narodowym w Warszawie w 1971 r., po decyzji odbudowy.

Napis nad przejściem do działu prezentującego zabytki z Sali Rycerskiej głosił: „Łącznie uratowano i przechowano z Zamku Królewskiego ok. 300 obrazów, ok. 60 rzeźb, sto kilkadziesiąt mebli, liczne brązy i tkaniny. Przy odgruzowywaniu ruin zamkowych wydobyto 4000 fragmentów kamieniarki".

W zbiorach Zamku przed 1939 r. były liczne cenne malowidła — częściowo pozostałe z kolekcji Stanisława Augusta, częściowo uzyskane po I wojnie światowej jako obiekty przyznane w ramach rewindykacji albo jako dary i zakupy.

Burze historii już od końca XVIII w. rozpraszały kolekcję stanisławowską, liczącą około 2200 obrazów, podziwianą, opisywaną przez znawców krajowych i przez przybyszów z zagranicy. Obecnie w zbiorach warszawskich można zidentyfikować ponad 170 obrazów z puścizny ostatniego króla Polski — a zdarza się niekiedy, że z czyichś prywatnych zbiorów wychynie obraz mający numer dawnej galerii królewskiej.

353.–354. (Ilustracje na następnej stronie.) Wyżej: Garderoba. Niżej: Gabinet▷ Królewski. Zdjęcia sprzed 1939 r.

„Gabinet Króla IMci do pisania służący" był też za Stanisława Augusta zwany Gabinetem Chińskim — jako że jego ściany pokryte zostały w 1776 r. malowidłami o modnej wówczas tematyce chińskiej, wykonanymi przez J. Pillementa. W dobie Księstwa Warszawskiego malowidła te zastąpiono nowymi, klasycystycznymi freskami, które dotrwały do II wojny światowej.

Na zdjęciach Garderoby i Gabinetu sprzed 1939 r. uważne oko dojrzy kilka obrazów, które — uratowane — widać na zamkowej wystawie w Muzeum Narodowym. Dziś znajdują się one w odbudowanych wnętrzach Zamku Królewskiego.

355. Gabinet Królewski 17 września 1939. Jedno ze zdjęć wykonanych przez H. Śmigacza w tym dniu, kiedy grad pocisków i bomb zapalających padał na Zamek. Przez okno wyszarpnięte pociskiem wtargnął widok smaganej kulami Wisły, ostrzelanego mostu Kierbedzia, wież kościoła św. Floriana. Tego dnia zza Wisły Hitler osobiście kierował oblężeniem Warszawy. Tego dnia Stolica miała kapitulować, a Polska załamać się ostatecznie. Jakże słaby, jak bezbronny, jak niemal śmieszny mógł wydawać się *genius loci* tego miejsca — z jego bielejącym niby duch pokrowcem na fotelu.

Ale dziś — kiedy setki tysięcy zwiedzają odbudowany Zamek — wiemy, że *genius loci* tego miejsca nie był ani słaby, ani bezbronny, ani tym bardziej śmieszny. Zwyciężył. Walka o Zamek została wygrana.

356.–357. Sypialnia Króla — przed 1939 r. i obecnie, przywrócona do życia dzięki odbudowie.
Możemy znów czytać — jako aktualne — fragmenty przewodnika K. Brokla wydanego w 1936 r.: „Niewielki pokój z głęboką wnęką na łoże. Ściany wyłożone drzewem cisowym, ozdobione wraz z białym plafonem złoconymi girlandami laurów." Nad drzwi powróciły malowane przez Bacciarellego supraporty o tematyce biblijnej, na dawnych miejscach umieszczono boazerie oraz skrzydła drzwiowe, wymontowane przed zburzeniem Zamku. Uzupełniono miejsca uszkodzone. Odtworzono kominki z kararyjskiego marmuru (ich fragmenty ocalały). W narożach zaśniły kryształowe lustra; za jednym kiedyś była alkowa — pokój toaletowy, za drugim — przejście tajemne. Trwają rozważania, jak odtworzyć (czy raczej: jak stworzyć) stojące ongi we wnęce rzeźbione i złocone łoże.
W myśl odwiecznych zwyczajów łożnica monarchy należała nie do prywatnych, ale do reprezentacyjnych pomieszczeń i jej wnętrze wyrażało myśl zrozumiałą dla współczesnych. Badacz zamkowych problemów A. Rottermund podkreśla, że głównym przesłaniem urządzenia Sypialni była wiara „w to, że narody postępujące zgodnie z wyrokiem boskim... mimo chwilowych niepowodzeń zawsze będą odradzać się... Idea zwycięstwa nad śmiercią... wyrażona została przy pomocy symbolicznego znaczenia drzewa cisowego jako materiału użytego do wykonania boazerii. Cis, drzewo astralne Saturna, wiecznie zielone, długowieczne, odporne na zużycie, symbolizowało nieśmiertelność, stabilność i wiarę." I jeszcze Brokl: „Po obu stronach wnęki — alkowy, nad których drzwiami supraporty owalne nieznanego pędzla zatytułowane w inwentarzu królewskim: *Królowa, którą zabija żołnierz* i *Rycerz wsparty na pałaszu.*" Obrazami tymi zastąpiono malowidła zabrane przez Stanisława Augusta przy jego wyjeździe z Warszawy po abdykacji, a przedstawiające dzieje Hagar i jej syna, cudownie uratowanych na pustyni przez anioła, który im wskazał życiodajne źródło.

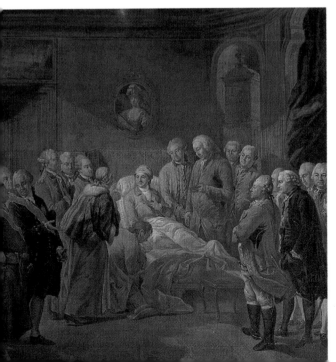

Królewski program Sypialni, przywołujący nadzieję wbrew brakowi nadziei, powstawał od 1772 r., w tragicznym dla Polski i dla samego króla okresie. Pierwszy rozbiór Polski — pośrednio sprowokowany najszlachetniejszymi w intencji czteroletnimi walkami konfederacji barskiej — pozbawiający kraj 226 000 kilometrów kwadratowych — został w 1773 r. zatwierdzony przez sejm mimo protestów Rejtana. Ale też ów rok 1773 i ów sejm rozbiorowy przyniósł powołanie Komisji Edukacji Narodowej — jak zwiastuna przyszłego ratunku...

358. Obraz przedstawiający króla w jego dawnej sypialni — po uwolnieniu z rąk zamachowców, którzy próbowali go porwać w 1771 r. w imię racji konfederatów. Szwajcarski astronom i matematyk J. Bernoulli, zwiedzający Warszawę w 1778 r., omówił ten obraz: „Król przyjmuje młynarza i jego żonę, którzy jak wiadomo, dali mu schronienie... dokoła stoją wszystkie wierne królowi osoby... postacie są jak żywe, aczkolwiek Bacciarelli, świadek tej wzruszającej sceny, zaledwie naszkicował wówczas ogólną sytuację."

359.–362. Prace konserwatorów z PKZetów w odbudowanej Sypialni Królewskiej. Tworzenie piękna. Podjęcie na nowo zadań z doby Oświecenia.

Przed dwoma wiekami Stanisław August pisał: „... najbardziej ufam temu żniwu, które, choć po mojej śmierci inszy zbierać będzie, z mego jednak zasiewu, gdy przez poprawioną edukację dzieci znajdzie pod ręką swoją kilkadziesiąt tysięcy obywatelów oświeconych, od przesądów oddalonych i wcale inaczej do wszelkiego życia usposobionych, niżelim ja ich zastał.''

Społeczeństwo ówczesne tylko przez krótki czas w dobie Sejmu Czteroletniego dało mu „serc miliony''.

Większość nie rozumiała ogromu trudności, z którymi się porał, ani jego rozumu i wielkich zasług.

363. (Ilustracje na stronach następnych.) Widok od strony Sypialni ku Garderobie i ku Gabinetowi Królewskiemu, z którego wiedzie przejście do uroczystej Sali Tronowej w Apartamencie Wielkim.

Codzienne obowiązki związane ze sprawowaniem władzy w państwie spełniał Stanisław August właśnie tu w „Gabinecie Króla IMci do pisania służącym'' oraz w Garderobie (do której wejść też można było schodami z ogrodów i od strony schodów w Wieży Władysławowskiej). Tu król pracował, przyjmował grono ludzi zaufanych, dyskutował z artystami, pisarzami i uczonymi, tu rodziły się idee kulturalnego, gospodarczego i politycznego odrodzenia kraju.

Ta część Zamku — od czasu Piastów mazowieckich zamieszkiwana przez panujących — często ulegała przeróbkom. Z wnętrz zaaranżowanych wnet po elekcji Stanisława Augusta nie został żaden przekaz. Obecne urządzenie Garderoby i Gabinetu, ich połączenie szerokim przejściem — jest kreacją nawiązującą do przygotowanego dla króla projektu J.Ch. Kamsetzera. Ściany obito gładkim materiałem i gęsto pokryto obrazami w sposób nawiązujący do zawieszenia obrazów w XVIII w. W Garderobie zgrupowano dzieła szkół obcych (w tym kilka z dawnej kolekcji królewskiej), a w Gabinecie obrazy malarzy tworzących w Polsce, zwłaszcza związanych z dworem Stanisława Augusta.

Wszystkie obrazy mają jednakowo profilowane ramy, ozdobione kartuszem z inicjałami króla — takie jakie były w jego galerii; zrekonstruowano je na podstawie nielicznych ▷ zachowanych oryginalnych egzemplarzy.

SYPIALNIA KRÓLEWSKA

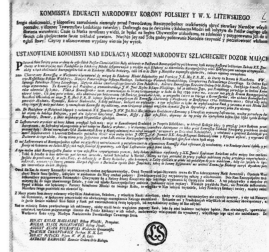

366. Uniwersał Komisji Edukacji Narodowej, powołanej ustawą sejmową uchwaloną na Zamku 13 października 1773 wbrew niedawnej tragedii pierwszego rozbioru. Uniwersał głosił: „Srogie okoliczności... nie mogły przed Prawodawczą Rzeczypospolitey troskliwością ukryć pierwszey Narodów wszystkich potrzeby... Dostrzegła ona, że ćwiczenie y Edukacya Młodzi jest jedynym dla Państw ciągłego uszczęśliwienia warunkiem; czuie ta Matka ztroskana i widzi, że będąc na liczbie Obywatelów uszkodzoną, na zdolności y przygotowaniu Jch do usług swoich całe ubespieczenie swoie zakładać powinna."

364. Korytarz na zapleczu Sali Audiencjonalnej Dawnej i Sypialni, wiodący od Sali Canaletta do Przedpokoju przed Garderobą i ku schodom w Wieży Władysławowskiej, a następnie ku Pokojowi Żółtemu i Zielonemu.

365. Przedpokój przed Garderobą (widać drzwi do niej). Spojrzenie ku Korytarzowi Królewskiemu od małego pokoju przy Wieży Władysławowskiej, w którym dyżurowali przyboczni króla. Ów Przedpokój przed Garderobą w czasach Stanisława Augusta gromadził urzędników królewskich, osoby przyjezdne i zaufanych gości dopuszczanych tu na spotkania wyzwolone ze sztywnej etykiety dworskiej.

(Ilustracje na następnych stronach.) Pokój ▷
Żółty oraz Pokój Zielony — obecnie
i przed 1939 r.

Za Stanisława Augusta ściany Pokoju Żółtego były ozdobione ponad dwudziestoma malowanymi pastelą przez L. Marteau portretami osób uczestniczących w słynnych obiadach czwartkowych.

Co czwartek grono dziesięciu–dwunastu osób o wciąż zmieniającym się składzie — wybitnych przedstawicieli literatury i nauki — zasiadało wraz z królem przy okrągłym stole, symbolizującym równość wszystkich uczestników. Dyskutowano na tematy prawne i polityczne związane z reformą kraju, wysuwano projekty prac naukowych, czytano i omawiano nowe utwory literackie, okraszano rozmowę żartami.

367.–369. Dziś w Pokoju Żółtym znajdują się między innymi obrazami trzy ważkie portrety: wielkiego reformatora szkolnictwa i pisarza politycznego Stanisława Konarskiego, komediopisarza i zasłużonego edytora Franciszka Bohomolca oraz autora prac historycznych i geograficznych Karola Wyrwicza.

Owe nieznanego pędzla obrazy przypominają tradycje stanisławowskie i to, że po powstaniu listopadowym wszystkie portrety czwartkowych gości przewieziono do Petersburga i złożono w Ermitażu do dyspozycji cara Mikołaja I, który osobiście nakazał spalić dwanaście wizerunków osób uznanych za szczególnie niebezpieczne (zniszczono wtedy m. in. podobizny Konarskiego i Wyrwicza).

▽

370.–373. Północno-wschodnie komnaty od podwórza, położone na piętrze w dawnym jagiellońskim Domu Nowym Króla Jego Miłości, za czasów Stanisława Augusta były antykamerami apartamentu królewskiego. U góry: Pokój Żółty, u dołu: Pokój Zielony. Zdjęcia kolorowe pokazują stan po odbudowie, z dekoracją ścian, meblami i obrazami nawiązującymi do epoki stanisławowskiej. Zdjęcia czarno-białe przypominają stan sprzed 1939 r., kiedy ściany były pokryte freskami arabeskowymi z doby Księstwa Warszawskiego. Pokój Żółty był używany jako jadalnia, do której król miał wewnętrzne przejście ze swego Gabinetu do Pisania. Tu zapewne w Pokoju Żółtym najczęściej odbywały się obiady czwartkowe, choć z zapisów wiadomo, że urządzano je też w Pokoju Zielonym (zwanym pokojem „Consilii", ponieważ służył spotkaniom króla z radą królewską), a także w Pokoju Marmurowym, do którego Pokój Żółty przylegał.

374. Kominkowa płyta żeliwna należąca do dawnego wyposażenia Zamku — z herbem Rzeczypospolitej mającym na tarczy sercowej godło rodu Poniatowskich.

Wokół Stanisława Augusta wybuchały i wybuchają ogniste dyskusje.

Jedni obwiniają go, iż dopuścił do rozbiorów.

Inni mówią, że Polska suwerenność polityczną utraciła już w początkach XVIII w., uzależniona od ościennych rządów, że Stanisławowi Augustowi zaś i jego współpracownikom, ludziom owej epoki oraz ich trosce o kulturę i oświatę kraj zawdzięcza odbudowanie suwerenności duchowej, dającej siłę przetrwania półtorawiekowego zaboru.

375. Popiersie Moliera stojące obecnie w Pokoju Zielonym — kopia rzeźby J.A. Houdona z 1778 r.

376.–377. (Ilustracje na następnych stronach.) Dwa marmurowe kominki ocalone z dawnego wyposażenia Zamku: lewy wbudowany w zrekonstruowanym Pokoju Zielonym, prawy — w Pokoju Żółtym. Przedmioty zdobiące owe kominki też należały do zamkowego wyposażenia. Wazony zostały wykonane w manufakturze królewskiej w Belwederze w latach 1770–1780. Zdobiona złoconym brązem waza dekoracyjna i para kadzielnic ze stiuku naśladującego porfir — to także wyrób polski z drugiej połowy XVIII w., może wedle projektu J. L. Prieura. Część sprzętów należących do wyposażenia Zamku realizowana była w Paryżu, część w pracowniach warszawskich rzemieślników.

Z GABINETU MARMUROWEGO MAMY
PRAWIE WSZYSTKO OPRÓCZ PLAFONU

378. **Pokój Marmurowy przed 1939 r.** Kustosz Zamku Kazimierz Brokl w *Przewodniku* z 1936 r. pisał: ,,Gabinet Marmurowy. Niewielki pokój, dotąd jeszcze noszący ślady gospodarki zaborców. Ongi bogato wyposażony, o ścianach wykonanych w stiuku barwnym i wykładanych marmurami, z portretami górą fryzem dokoła sali umieszczonymi. Składało się to na całość, która była dziełem nadwornego architekta Stanisława Augusta, Jakuba Fontany. Gabinet ten był poświęcony pamięci królów polskich, których portrety w ilości 22 malował na miedzi Marcello Bacciarelli...

W r. 1832, za rządów Paskiewicza, pokój ten został całkowicie ogołocony; portrety królewskie wywieziono do Petersburga, ze ścian wyjęto marmury, z których zaledwie resztki pozostały dziś w podłuczach okien.

Portrety, rewindykowane w r. 1921, prowizorycznie rozmieszczone, wypełniają ściany do czasu gruntownego odrestaurowania sali... Meble mahoniowe z połowy zeszłego stulecia.''

379. **Na poświęconej Zamkowi wystawie w Muzeum Narodowym w 1971 r.** jeden z napisów głosił: ,,Z Gabinetu Marmurowego mamy prawie wszystko oprócz plafonu.''

Rzeczywiście, w stosunku do przedwojennego stanu Pokoju Marmurowego uratowanie wszystkich królewskich portretów, intarsjowanych drzwi, konsoli z drewna hebanowego oraz zegara stojącego tu przed 1939 r. — było osiągnięciem ogromnej miary.

380.–382. **(Ilustracja powyżej oraz ilustracje na następnej stronie.)** Precyzyjne akwarele J.Ch. Kamsetzera z 1784 r. ukazują wygląd stanisławowskiego Pokoju Marmurowego, który został zrealizowany w latach 1768–1771 jako kontynuacja dawnego Pokoju Marmurowego, urządzonego na polecenie Władysława IV z malowanymi przez P. Danckersa de Rijn portretami przodków owego monarchy.

,,Następujący królowie, lubo nie wszyscy, przydali swoje portrety, ale te nie były podług miary dawniejszych i bez porządku je ułożono. Cały nadto ten pokój staroświeckim sposobem sporządzony, ciemny, zapylony, wiele z ozdoby swojej przez niedozór stracił. Jego Królewska Mość wskrzeszając wielkiego imieniem i sławą poprzednika swojego dzieło... własną inwencją i kosztem pomieniony pokój z gruntu prawie odnowił, ułożył i przyozdobił, poleciwszy wykonanie myśli swoich I.I. PP Fontaniemu, budowniczemu Rzeczypospolitej, Bacciarellemu i Le Brun, sławnym w Europie, jednemu w malarskiej, drugiemu w rzeźbie kamiennej artystom'' (A. Naruszewicz).

383. Z niewiarygodnym wysiłkiem i pieczołowitością odtworzono Pokój Marmurowy. Dziś zachwyca wszystkich przybywających do Zamku — tak jak zachwycał w czasach Stanisława Augusta.

Szwajcar J. Bernoulli zanotował 12 października 1778: „,...sala marmurowa; tu w dniach przyjęć i z okazji różnych uroczystych chwil zwykł się zbierać dwór. W owej wspaniałej sali, całej wyłożonej marmurem z czarnym obramowaniem, wisi wiele portretów królów polskich, przy czym najdawniejsi malowani są po części według sztychów, po części z wyobraźni. Najbardziej godny uwagi jest doskonały portret przedstawiający obecnego króla w całej postaci...''

Wizerunki królów polskich znów obiegają salę. Zaszczytne miejsce na wykonanych w stiuku lwich skórach znów jak dawniej mają: Kazimierz Wielki, Władysław Jagiełło, Zygmunt Stary, Władysław IV i Jan III — których szczególną estymą darzył król-fundator i jego naukowy doradca Adam Naruszewicz.

Obrazy poświęcone tymże władcom odnajdziemy potem w Sali Rycerskiej... Wyposażenie Pokoju Marmurowego zapoczątkowało nurt historyzujący w wyposażeniu wnętrz zamkowych. Wedle założeń królewskiego mecenasa — sztuka miała utrwalać w pamięci ogółu wiekopomne czyny monarchów i współdziałać w patriotycznym wychowywaniu społeczeństwa.

384.–386. (Ilustracja powyżej oraz ilustracje obok i na następnych stronach.)
Pokój Marmurowy został oddany do użytku w siódmą rocznicę elekcji Stanisława Augusta 8 września 1771.
Uroczystość tę uczcił A. Naruszewicz odą *Na Pokoy Marmurowy Portretami Królów Polskich z Rozkazu Nayiaśniejszego Króla Stanisława Augusta Nowoprzyozdobiony...*

> Świetny przybytku ziemskich bogów, gdzie przed laty
> Wielowładne iaśniały Królów Maiestaty...
> luż oto pod misternym y pędzlem y dłotem
> Nowym się martwe zwłoki wskrzeszaią żywotem:
> Każdy w swey dobie stoi...

Galeria królewskich wizerunków stworzona przez Bacciarellego była wielekroć kopiowana i naśladowana w XVIII i XIX w., a sławą przewyższył ją dopiero poczet królów polskich Matejki.

Obecność króla-mecenasa jest tu zdwojona odbiciem jego portretu przez wielkie lustro umieszczone nad ocaloną piękną hebanową konsolą (w stylu *á la greque* wykonaną ok. 1770 r. przez warszawskich stolarzy); ponad tym odbiciem rzeźbione przez A. Le Bruna alegorie Sprawiedliwości i Pokoju trzymają kartusz z herbem Rzeczypospolitej i Stanisława Augusta.

SIGISMUNDUS III

VLADISLAUS QUARTUS

✝ MDC XLVIII.

IOA CAS

...CHAEL I.

...CLXXIII.

Marmorea sculpit fil

387.–388. Wyobrażenia Bolesława Chrobrego i Kazimierza Wielkiego z galerii królów w Pokoju Marmurowym. Obraz przedstawiający Chrobrego ma dla nas szczególną wartość — bo utrwalił wygląd zniszczonej potem przez Prusy najstarszej polskiej korony, zwanej „Corona Originalis" albo „Corona Privilegiata". Wykonana na koronację Władysława Łokietka, tradycyjnie była uważana za ową koronę, którą cesarz Otto III ofiarował Bolesławowi w Gnieźnie w tysięcznym roku. Zawsze przechowywana w Skarbcu Koronnym na Wawelu, uchwałą sejmu elekcyjnego z 1764 r. została wraz z innymi insygniami sprowadzona na koronację Stanisława Augusta w katedrze warszawskiej i wtedy przez czas krótki była wystawiona w Izbie Senatorskiej na Zamku, gdzie z inicjatywy króla wiernie ją odrysował Bacciarelli.

389. Nad marmurowym gzymsem rzeźby: Pokój i Sprawiedliwość.

Słabe kruchością marmuru nieodporną wobec uderzenia łomu czy pocisku, wobec rozkazu namiestnika Paskiewicza sprzed stu pięćdziesięciu lat, wyłupującego marmury z zamkowych ścian, wobec wybuchu ładunków dynamitowych rozkruszających w 1944 r. wiekowe mury, wobec szelestu zarządzeń dziesięcioleciami stawiających tamę woli odbudowy.

Silne ukrytą w sercach ludzi miłością do starych murów, do piękna kształtów, do znaków odwiecznej tradycji, do prawdy ukrytej za wyświechtanymi od nadużywania słowami: pokój i sprawiedliwość.

389 a. Na zrekonstruowanym plafonie w Pokoju Marmurowym znów Sława-Wieczność wieńcem z gwiazd koronuje czyny przeszłości, otoczona przez skrzydlate putta: Historię, Poezję, Malarstwo i Rzeźbę.

390. Rzeźbiona postać Pokoju z Zamku Królewskiego w Warszawie na wystawie „Warszawa oskarża" otwartej 3 maja 1945 r. Pełen wdzięku i harmonii kształt okrutnie okaleczony ciosem wojny. Głowa oderwana od ciała. Szyja rozorana pociskiem.

„...Niemcy uderzyli w całość polskiego życia kulturalnego serią straszliwych a precyzyjnie obmyślonych ciosów, powodujących szkody wielorakie, częściowo przekraczające możność obliczenia i oszacowania, trudne nawet do ogarnięcia dla normalnej wyobraźni ludzkiej... — głosiło konspiracyjne opracowanie *Straty kultury*, wiosną 1944 r. przekazane z okupowanej Polski do Londynu i tam opublikowane.

— Celem ich «polityki kulturalnej», częściowo tajnym, częściowo nawet zupełnie jawnym, było wyniszczenie kulturalne narodu polskiego, jeśli nie na stałe, to przynajmniej na długie lata, pogrążenie go w kompleks niższości, a w konsekwencji osłabienie jego ogólnej siły i zdolności oporu...

Zahamowawszy na długi okres życie kulturalne polskie we wszystkich jego istotnych funkcjach, wybijając lub niszcząc równocześnie pracowników kulturalnych i znaczną część inteligencji, usiłując utrzymać młodzież wyłącznie w sferze zainteresowań praktyczno-zarobkowych i pociągając ją do najniższego rodzaju rozrywek (z pornografią włącznie), karząc już samo uczenie się («bez pozwolenia») — realizowano cele niemieckie nie tylko w granicach chronologicznych okupacji. Mierzono znacznie dalej...''

391. Poświęcona Zamkowi sala na wystawie w Muzeum Narodowym „Warszawa oskarża".

Uratowane — z narażeniem życia — kolumny z Kaplicy, drzwi z Sali Wielkiej, tron królewski i dwie rzeźby A. Le Bruna: Sprawiedliwość oraz Pokój.

Profesor Stanisław Lorentz, wspominając warszawską walkę w obronie kultury, napisał:

„Wystawa «Warszawa oskarża» miała zobrazować ogrom zniszczeń i strat poniesionych przez nas w dziedzinie kultury wskutek planowej, z góry zamierzonej niemieckiej akcji niszczycielskiej.

Pocięte i postrzelane obrazy, potłuczone rzeźby, pobite wyroby ceramiczne, zniszczone zabytki sztuki starożytnej, spalone, podarte i poplamione książki i archiwalia, fotografie zburzonych zabytków architektury — to wszystko składało się na wstrząsający obraz naszych strat kulturalnych.

W zburzonej Warszawie wystawa ta miała specjalną wymowę i wywierała niezapomniane wrażenie. Sformułowaliśmy akt oskarżenia, by udokumentować bestialski, a rozmyślny wandalizm niemiecki, ale też by żądać za niezmierzone krzywdy zadośćuczynienia.

«Celem wystawy — pisaliśmy w Przewodniku po wystawie wydrukowanym w 4 językach — nie było stać się jeszcze jednym pokazem cierpiętnictwa narodowego... Zadaniem naszym jest obiektywizacja przeżyć, ukazanie w chaosie ruin sensu katastrofy, ujawnienie intencji wroga»...

Za ogrom zniszczeń żądaliśmy zadośćuczynienia moralnego i zadośćuczynienia materialnego w dobrach kultury. Wiemy, że to nie nastąpiło."

392. Poświęcona Zamkowi wystawa w Muzeum Narodowym otwarta w marcu 1971 r., po decyzji odbudowy Zamku.

Od czasu wystawy „Warszawa oskarża" drzwi Sali Wielkiej ponad ćwierć wieku musiały czekać na wiadomość, że walka o Zamek została wygrana.

393. (Ilustracja na następnych stronach.) Sala Wielka — zwana też Salą Assamblową albo Salą Balową — przed 1939 r. Jak za Stanisława Augusta — sala uroczystych zgromadzeń, koncertów, balów, przyjęć, niekiedy audiencji.

Jedno ze zdjęć, które pozwoliły możliwie najwierniej odtworzyć dawną świetność Zamku.

Negatyw tego zdjęcia należał do zespołu dokumentacji, która znajdowała się w gmachu zajętym jesienią 1939 r. przez Gestapo i która z owej siedziby Gestapo została uratowana przez przedstawicieli podziemnego frontu walki o polską kulturę.

394.–397. 17 września 1939, kiedy Polska miała przestać istnieć, lawina niemieckich bomb i pocisków zapalających padła na Zamek. Parę razy gmach zaczynał płonąć. Dzięki ogromnemu wysiłkowi ludzi, którzy przybiegli na pomoc, udało się wtedy ugasić płomienie. Zniszczeniu uległa jednak Sala Wielka. Walący się strop zdruzgotał słynny plafon Bacciarellego *Jowisz wyprowadzający świat z chaosu*.
Dokumentarne zdjęcia H. Śmigacza z owego dnia 17 września pokazują zmagania z ogniem i chaos w harmonijnym ongi wnętrzu, do którego dawniej wchodziło się z sąsiednich sal pod supraportami z godłem Orła...
Przytoczmy wspomnienia S. Kowalskiego z tegoż dnia: ,,...pomagałem gasić pożar Zamku w trzydziestym dziewiątym, tak jak setki mieszkańców Starówki, jak pracownicy Muzeum Narodowego i Zarządu Miejskiego, Straż Pożarna, studenci, uczniowie. Nie tylko warszawiacy. Ratowali Zamek kolejarze ze Śląska i z Poznańskiego, harcerze z Brodnicy.
Zapamiętałem z tamtych godzin dwóch ludzi, którzy obok nas uwijali się z aparatami fotograficznymi, choć nadlatujące jak najniżej samoloty Luftwaffe siekły seriami z karabinów maszynowych.
Ktoś objaśnił, że jeden z nich to fotoreporter aż z Ameryki, Bryan! I że ten drugi to nasz, polski fotograf, Henryk Śmigacz!...
Ktoś zaklął. Ktoś burknął ze złością: «Lepiej by wzięli wiadro z wodą! Albo karabin!»
Ktoś powiedział poważnie: «Oni też walczą! tylko w inny sposób...»''

398. Wystawa poświęcona Zamkowi w Muzeum Narodowym w Warszawie w 1971 r. Na tle zdjęcia Wieży Zygmuntowskiej w dniu 17 września 1939 trawionej pożarem wywołanym pociskami zapalającymi — widać supraportę uratowaną z Sali Wielkiej. Takie supraporty z godłem narodowym umieszczono za Stanisława Augusta nad drzwiami do Sali Rycerskiej i do Sali Rady. Franciszek Kniaźnin napisał wówczas:

> Ztąd Orzeł Biały na chlubnym błękicie
> Wspaniałe serca grzeie czci podsytą:
> Jak słodki zaszczyt ofiarować życie
> Za Wiarę, Króla i Rzecz-pospolitą.

399.–400. Uderzającym gwałtownie ciosom zniszczenia przeciwstawiono dzieło odbudowy, dokonywane żmudnie, precyzyjnie. Świadectwem ofiarnego mozołu pozostały dokumentarne zdjęcia z długiego okresu pracy. Niezliczone przemyślenia i deliberacje, mnogie trudy trwały, zanim wróciła do życia Sala Wielka — Sala Balowa — a w niej od nowa świat mógł wyłonić się z chaosu na zrekonstruowanym plafonie Bacciarellego.

401.–402. Stanisławowska Sala Rady — dawna królewska jadalnia za Augusta III — oglądana od strony Sali Wielkiej. Widać przejście do Sali Koncertowej, ozdobione supraportami z monogramem Stanisława Augusta.

Sala Rady od 1775 r. stała się miejscem posiedzeń Rady Nieustającej złożonej z 18 posłów i 18 senatorów; Rada — której przewodniczył Stanisław August — dzieliła się na pięć departamentów z ministrami na czele: interesów cudzoziemskich, wojska, policji, skarbu i sprawiedliwości.

Ze ścian Sali Rady spoglądają portrety posłów Sejmu Czteroletniego, w latach 1790–1792 namalowane dla staromiejskiego ratusza przez J. Peszkę na zamówienie prezydenta Warszawy Jana Dekerta.

403. Piękne kandelabry należące do stałego wyposażenia Sali Wielkiej, wykonane w słynnym paryskim zakładzie P. Caffieriego — przez czas oczekiwania na dokończenie jej rekonstrukcji były eksponowane w Sali Rady.

404. Po odbudowie Zamku, a przed pełną rekonstrukcją Sali Wielkiej — Sali Balowej — posąg Apollina na swój powrót do niej czekał w sali zwanej Koncertową.

Sala ta od połowy XVIII w. kolejno służyła różnym celom: była kaplicą saską, stanisławowską salą teatralno-koncertową, składem mebli, kaplicą prawosławną namiestników carskich.

Po odzyskaniu niepodległości przyjęto tutaj rozwiązania z doby Sasów.

Obecne wyposażenie — zmieniane w ciągu lat — nawiązuje do czasów Stanisława Augusta, a sala jest miejscem uroczystych zebrań i koncertów.

405. (Ilustracja na stronie poprzedniej.) Najokazalsze wnętrze zamkowe: Sala Wielka, często zwana Balową albo Assamblową. Po odbudowie-restytucji uroczyście oddana do użytku w 1988 roku.

Sala Wielka, mająca 311 metrów kwadratowych powierzchni, zajmuje dwie kondygnacje: pierwsze i drugie piętro środkowego ryzalitu w nadwiślańskim skrzydle. Jej kształt powstał podczas przebudowy dokonanej za Augusta III w latach 1740–1746. Stanisław August w stare mury wprowadził nową oprawę artystyczną. W 1777 r. zainicjował swoisty „konkurs architektoniczny'' na wyposażenie Sali Wielkiej — projekty złożyli znakomici architekci: Merlini, Plersch, Schroeder, Zug i Zawadzki, przedstawiając aż dziesięć wersji. Piękne, monumentalne wnętrze zrealizowano w latach 1777–1781 wedle projektu D. Merliniego i J.Ch. Kamsetzera. Marmury, stiuki, kolumny, rzeźby, złocenia, kolory wielkiego plafonu Bacciarellego *Jowisz wyprowadzający świat z chaosu.*

Wszystko to legło w gruzach. Wbrew rozgromowi jednak ład i harmonia znów zapanowały nad chaosem. Na swoje miejsca powróciły posągi Minerwy i Apollina, symbolizujące Mądrość i Piękno. W wejściowej niszy, nakrytej półkopułą ozdobioną kasetonami, ponad portalem z marmuru znów alegorie Pokoju i Sprawiedliwości podtrzymują medalion Stanisława Augusta (wspólne dzieło A. Le Bruna i J. Monaldiego).

Po dwóch stronach wejścia znów zalśniły dewizy orderów, których „król Polski jest rozdawcą''. Nad posągiem Apollina dewiza Orderu Świętego Stanisława: „*Praemiando incitat*'' — „Nagradzając zachęca''. Po drugiej stronie dewiza Orderu Orła Białego: „*Pro fide lege et grege*'' — „Za wiarę, prawo i naród''.

Obrazy dziś wiszące w Przedpokoju Sali Wielkiej, nazywanym też Pierwszą Antykamerą albo Wielką Antyszambrą — namalowane na zamówienie i wedle wskazówek Stanisława Augusta.

406. Obraz poświęcony idei szlachetnej rywalizacji: J.M. Vien *Cezar przed pomnikiem Aleksandra Wielkiego*. Wedle przekazów z historii starożytnej — młody Cezar stanąwszy w Kadyksie w świątyni Herkulesa przed posągiem Aleksandra ubolewał, że będąc w jego wieku, jeszcze nie zdobył jego sławy.

407.–408. Obraz (całość i fragment) poświęcony propagowaniu idei zgody wśród ówczesnego osłabienia i wewnętrznego rozdarcia Polski: N. Hallé *Król Scytów nakazujący synom zgodę.* Starożytna legenda o królu scytyjskim Scilurusie głosiła, że na łożu śmierci chciał on unaocznić synom siłę jedności; polecił im przeto najpierw złamać pojedynczą strzałę, a następnie pokonać opór wiązki strzał.

Obrazy wiszące w Przedpokoju Sali Wielkiej, nazywanym też Pierwszą Antykamerą albo Wielką Antyszambrą — namalowane na zamówienie i wedle wskazówek Stanisława Augusta.

409. Obraz poświęcony idei wielkoduszności: J.M. Vien *Wspaniałomyślność Scypiona.* Po zdobyciu Kartaginy przez Publiusza Scypiona Starszego w moc zwycięzcy dostała się piękna branka, narzeczona pokonanego wodza. Scypion zwrócił mu ją bez okupu.

410. Obraz poświęcony idei sprawiedliwości: L.J.F. Lagrénée *Cezar na widok głowy Pompejusza wzdrygnienie okazujący.* Zwyciężony przez Cezara Pompejusz uciekł do Egiptu, gdzie został skrytobójczo zamordowany przez wielkorządcę Egiptu Teodota. Na twarzy Cezara maluje się niesmak i oburzenie — kiedy Teodot pokazuje mu odciętą głowę rywala.

Malarskie wyobrażenie cnót, jakimi winien się charakteryzować idealny władca — znalazło swój odpowiednik w wierszu Krasickiego *Do ks. Adama Naruszewicza o pisaniu historii:*

> Prawda umie rozdzielać przymiot w wojowniku:
> Chwali męstwo, lecz cnotę nad męstwo przenosi,
> Tryumf wielbi, moc zważa, ale ludzkość głosi.
> Wielki u niej, kto przemoc z dobrocią połączył,
> Wielki, kto zaczął męstwem, ludzkością dokończył.

Ten program oświeconego dworu Stanisława Augusta pozostał w świadomości narodowej i przez ciemne wieki niewoli. Stawał się wzorcem postępowania, kształtował postawy...

411. Przedpokój Sali Wielkiej, nazywany Pierwszą Antykamerą albo Wielką Antyszambrą.

Za Zygmunta III i jego następców mieściła się tu kaplica królewska. Po przebudowie za Augusta III znalazła tu pomieszczenie Wielka Antyszambra przed Salą Assamblową.

Stanisław August — przewidując w tym miejscu Przedpokój Senatorski, *Chambre des Seigneurs* — zamówił u znakomitego francuskiego architekta V. Louisa projekt wyposażenia, nadesłany w 1766 r. Zgodnie z projektem zamówiono w Paryżu cztery obrazy, których dydaktyczną fabułę ustalił król osobiście. Przywiezione do Warszawy w 1767 r., początkowo zawisły w tym wnętrzu. Potem jednak przeniesiono je do dalszych pomieszczeń, a Przedpokój Senatorski usytuowano w innym miejscu jako znaną wszystkim Salę Narodową, czyli Salę Rycerską o patriotycznym wystroju.

Pierwsza Antykamera — poprzedzająca wspaniałość reprezentacyjnego apartamentu — za Stanisława Augusta otrzymała wyposażenie stosunkowo skromne. I takie wedle dawnych inwentarzy pozostało w czasach Księstwa Warszawskiego oraz po Kongresie Wiedeńskim.

Po upadku powstania listopadowego wnętrze to, jak całe skrzydło północne, zajęły oddziały kozackie.

Kiedy po długich latach panowania zaborców znów na maszcie Zamku powiała flaga Rzeczypospolitej — w komnacie tej zawieszono obraz Jana Matejki *Batory pod Pskowem* i nadano jej nazwę Sali Batorego.

Obecny wystrój Przedpokoju Sali Wielkiej — skomponowany podczas odbudowy Zamku — nawiązuje do czasów stanisławowskich.

412. Apollo — wyrzeźbiony przez A. Le Bruna na polecenie Stanisława Augusta i rysami króla obdarzony — długi czas oczekiwał w Muzeum Narodowym na decyzję odbudowy Zamku.

413. Fragment wystawy w Muzeum Narodowym w 1971 r.: uratowane elementy wyposażenia Sali Rycerskiej, sławiącej dokonania Polski w przeszłości.

414. Niezliczone tłumy zgromadziły się w Muzeum Narodowym w 1971 r. na otwarciu wystawy poświęconej Zamkowi Królewskiemu w Warszawie — zorganizowanej po uroczystym ogłoszeniu decyzji odbudowy, po usunięciu przeszkód odbudowę tę przez dziesięciolecia blokujących.

PRZY OTWARCIU

SALI NARODOWEY

W ZAMKU

JEGO KROLEWSKIEY MOŚCI

1786.

In antiquam virtutem animósque viriles
Excitat   Virg.

Z męſtwa, porady i uczoney prący
Co publicznego ſzukali pożytku,
Bracia! ſpoyrzycie, wſzak to ſą Polacy,
W tym okazałym zmieſzczeni przybytku.
Krew ich w was płynie, imie trwa w pamięci,
Król dla przykładu potomności święci.

415. Oda A. Naruszewicza *Przy otwarciu Sali Narodowey* powstała w 1786 r. z okazji uroczystego przekazania do użytku Przedpokoju Senatorskiego, znanego powszechnie jako Sala Rycerska.

416. Sala Rycerska przed 1939 r. — widok od strony Sali Wielkiej ku Sali Tronowej.
Za panowania Wazów i Jana III w tej części skrzydła północno-wschodniego mieścił się Pokój Tronowy i Sypialnia.
Za Augusta II i Augusta III był tu Pokój Tronowy i Pokój Paradny.
Podobne funkcje pełniły te dwa pomieszczenia w pierwszych latach panowania Stanisława Augusta.
W latach 1783–1786 z inspiracji króla stworzono tu monumentalne wnętrze (wedle projektu D. Merliniego i J. Ch. Kamsetzera), które miało krzepić patriotyczną dumę Polaków, umacniać wiarę w siłę Ojczyzny.
Tematy obrazów, malowanych przez M. Bacciarellego, ustalone zostały wśród długich narad Stanisława Augusta z historykami, zwłaszcza z Naruszewiczem i Albertrandym. Sławią one pokojowe i kulturalne dokonania królów Polski — hołd składając też orężowi Jana III.
Portrety, również pędzla Bacciarellego, oraz brązowe popiersia, dłuta Le Bruna i Monaldiego, ukazują wielkich Polaków.

417. Wejście do Sali Rycerskiej z Sali Wielkiej (Sali Balowej) przed 1939 r. Nad drzwiami supraporta z godłem Polski, Orłem Białym.

Wśród bomb i pożarów II wojny światowej przybiegano tu, aby choć okruchy uchronić przed zagładą. Ryzykowano własnym życiem w imię obowiązku ocalenia pamiątek przeszłości dla przyszłych pokoleń.

418. Listwy, części boazerii i supraporty uratowane z Sali Rycerskiej — w składnicy po 1945 r.
Ocalone z najwyższym poświęceniem dzieła sztuki, elementy wystroju architektonicznego, mniejsze i więk-
sze fragmenty dekoracji oraz wykradziona z siedziby Gestapo przedwojenna dokumentacja fotograficzna
— pozwoliły na przywrócenie Zamkowi jego dawnej świetności.

419. Sala Rycerska 17 września 1939 — zdjęcie H. Śmigacza.
Na obrazie *Nadanie przywilejów Akademii Krakowskiej przez Władysława Jagiełłę* widać rozdarcie płótna wyszarpnięte odłamkiem pocisku.

420. Sala Rycerska 28 listopada 1939 — zdjęcie wykonane z narażeniem życia przez J. Morawińskiego i Z. Miechowskiego, należących do ekipy Muzeum Narodowego.
W opustoszałym wnętrzu jeszcze stoi posąg Chronosa.

421. Sala Rycerska po odbudowie Zamku — widok od strony Sali Tronowej ku Sali Wielkiej.
Mówiące o chlubnej przeszłości Polski obrazy i rzeźby, odrestaurowane, wróciły na swe dawne miejsca.

422.–424. (Ilustracje sąsiednie oraz na stronach następnych.)

Jeśli — przewróciwszy kartę — obejrzymy współczesne kolorowe zdjęcie Sali Rycerskiej (oglądanej od strony Sali Wielkiej ku Sali Tronowej) i porównamy je z wcześniejszym o kilka stronic analogicznym czarno-białym zdjęciem tejże Sali, zdawać by się nam mogło, że to dwukrotne utrwalenie tego samego momentu.

A przetoczyło się pół wieku między fotografią z lat trzydziestych, sprzed wybuchu II wojny światowej, a fotografią z lat osiemdziesiątych.

Cała epoka mierzona nie tylko upływem godzin odliczanych ostrzem kosy Chronosa na taśmie obiegającej glob-zegar.

Bezmiary krwi i cierpień, zniszczeń i chaosu. Bezmiary woli odrodzeńczej, wciąż zgruzowstającej, tchnącej życie w rumowiska.

Fanfara zwycięstwa, podtrzymywana lekką dłonią Sławy-Wieczności donośnie, choć bez głosu woła skroś dziesięcioleci i stuleci o chwale czynów dokonywanych dla Ojczyzny przez ludzi znanych z imienia i przez bezimiennych.

Jakże wiele mówi milczenie tych obrazów. Kolejno idą, coraz bliższe Sali Tronowej: *Kazimierz Wielki słuchający próśb chłopów, Nadanie przywilejów Akademii Krakowskiej, Hołd pruski, Unia lubelska, Pokój chocimski, Victoria wiedeńska.*

Jakże wiele mówi milczenie tych posągów kutych w białym marmurze przez królewskich rzeźbiarzy: A. Le Bruna i J. Monaldiego.

Trwały one w tej sali od 1786 r. — słuchając radosnych wieści o Konstytucji 3 Maja i tragicznych o drugim oraz trzecim rozbiorze Polski.

Po klęsce powstania listopadowego — kiedy odesłano do Moskwy wyposażenie Sali Rycerskiej, na opróżnionych ścianach wieszając portrety cara i carycy — jedyne przetrwały jako znak ciągłości. Doczekały powrotu zagrabionych skarbów. W 1939 r. z opustoszałego wnętrza zostały zabrane do wawelskich wnętrz, zajętych na siedzibę Generalnego Gubernatora Hansa Franka.

Po wyzwoleniu wróciły do Stolicy i w warszawskim Muzeum Narodowym czekały na czas odbudowy Zamku. Doczekały.

△

◁ **425.–426.** Wśród rozmieszczonych rytmicznie dziesięciu wizerunków tworzących w Sali Rycerskiej „Poczet sławnych Polaków" — na centralnym miejscu: nad Chronosem, naprzeciw Sławy — jest podobizna Mikołaja Kopernika.

Wraz z pozostałymi obrazami została uratowana we wrześniu 1939 r., tak samo jak i elementy ozdobnych supraport.

427. Fragment obrazu *Hołd pruski.* ▷ W 1525 r. książę Albrecht Hohenzollern — Wielki Mistrz zakonu krzyżackiego przed jego sekularyzacją — klęcząc u stóp Zygmunta Starego składa mu przysięgę wierności lennej.

Pierwotna wersja *Hołdu* została w 1807 r. zabrana do Muzeum w Paryżu. Na to miejsce Bacciarelli namalował *Nadanie Konstytucji Księstwu Warszawskiemu przez Napoleona.* Kiedy po klęsce Bonapartego ów obraz usunięto — Bacciarelli namalował replikę *Hołdu pruskiego.*

428. Sala Rycerska w trakcie odbudowy — zakładanie ozdobnych rozet w fasecie pod sufitem.

Z wielkim pietyzmem odtworzono wygląd Sali Rycerskiej sprzed zniszczenia Zamku. W przygotowaniu rekonstrukcji pomogły oryginalne projekty J. Ch. Kamsetzera z XVIII w., rysunki inwentaryzacyjne z początku XIX w., fotografie sprzed 1939 r.

Na swoje miejsce powróciły wszystkie uratowane z wojennej zawieruchy dzieła sztuki. Otoczono je taką jak dawniej dekoracją naścienną, odtworzoną dzięki ocalonym elementom stolarki i sztukaterii.

△

431. Sala Rycerska przed 1939 r. — widok w kierunku wejścia do Sali Wielkiej (Balowej).

429.–430. Sala Rycerska w trakcie odbudowy — widok w kierunku wejścia do Sali Wielkiej — oraz zrekonstruowane panoplium umieszczone z prawej strony tegoż wejścia, w centrum mające herb Jelita (tło dla popiersia hetmana Jana Zamoyskiego).

JOAN: HEVELIUS
✝ MDCLXXXVII.

STA: KONARSKI

ADA: NARUSZEWICZ

432.–451. (Ilustracje sąsiednie i na stronicach następnych.) Ustawione w Sali Rycerskiej popiersia z brązu — dzieło A. Le Bruna i J. Monaldiego — przedstawiające polskich wodzów, mężów stanu, poetów i uczonych.

Tak jak znakomite osobistości dawnych wieków uhonorowano i trzech żyjących ówcześnie: Stanisława Konarskiego, Adama Naruszewicza i Marcina Poczobuta.

Osiemnaście popiersi ma jednakową wielkość — naszą jednak szczególną uwagę niechaj zatrzyma powiększeniem fotograficznym podobizna astronoma światowej sławy Jana Heweliusza, gdańszczanina, który na mapy nieba wprowadził gwiazdozbiór: ,,*Scutum Sobiescianum*'' — ,,Tarcza Sobieskiego''.

Obiegający Salę cytat z *Eneidy* Wergilego: ,,*Hic manus pro patria...*'' znalazł swój poetycki przekład w odzie Naruszewicza *Przy otwarciu Sali Narodowej* z 1786 r.

Dokładne tłumaczenie napisu przytoczmy za K. Broklem: ,,Hufiec ten (przedstawia tych), co walcząc w obronie ojczyzny odnieśli rany, oraz kapłanów, których życie było czyste i pobożne, dalej tych bogobojnych poetów, którzy przemawiali godnie do Apollina, albo tych, którzy uszlachetnili życie przez sztukę, i tych, którzy upamiętnili się w ciągu swego pobytu (na ziemi)''.

MART: POCZOBUT

GEO: MNISZECH
+ MDCXIII.

PET: KOCHANOWSKI
+ MDCXX.

STAN: LUBIENSKI
+ MDCXL.

JOAN: SZEMBEK
+ MDCCXXXI.

Witay doſtoynych Starcow grono święte ,
Męże dla kraiu z ran podiętych znani,
Wyrocznie prawdy Boſkim tchem przeięte,
Oſwiato kunsztow, cnotliwi kapłani !
Wy , co o ziomkow dobro więcey dbali,
Służąc im, pamięć ich ſobie zyſkali.

ANDR: ZALUSKI
+ MDCCXL.

STA: MAŁACHOWSKI
+ MDCXCIX.

JOAN: MOR SZTYN
+ MDCIIC.

MAT: SARBIEWSKI
† MDCXL.

PAUL: DZIAŁYNSKI
† MDCXLII.

GEO: OSSOLINSKI
† MDCL.

Napis w Sali wzięty z Wirgiliusza.

Hic manus pro patria pugnantum vulnera pafsi.

Quique Sacerdotes cafti, dum vita manebat.

Quique pii Vates & Phœbo digna locuti,

Jnventas aut qui vitam excoluere per artes,

Quique fui memores alios fecere merendo.

HIE: WISNIOWIECKI
† MDCLI.

IOAN: WIELOPOLSKI
† MDCLXXXVIII.

MICHAEL PAC
† MDCLXXXII.

ANDREAS LIPSKI
† MDCXXXI.

452.–453. Sala Tronowa przed 1939 r. Tak samo wyglądała za czasów Stanisława Augusta.

Dostojni goście — prowadzeni do króla poprzez Apartament Wielki: od schodów, przez Pierwszą Antykamerę i przez Gabinet Marmurowy — ostatnie chwile oczekiwania na audiencję spędzali w Przedpokoju Senatorskim, czyli w Sali Rycerskiej, gdzie tematyka obrazów i rzeźb, a także cały wystrój miały przypominać rodakom oraz cudzoziemcom wspaniałą przeszłość Polski.

Za kolejnymi drzwiami otwierał się widok Sali Tronowej, która blaskiem złota i nasyconą czerwienią, bogactwem materii i najwyższym artystycznym poziomem dzieł sztuki miała każdemu wchodzącemu uświadamiać majestat władzy Rzeczypospolitej.

Sala Tronowa — wstępnie zaprojektowana przez „architekta Króla JMCi i Rzeczypospolitej" D. Merliniego w 1781 r. — została zrealizowana, tak jak i Sala Rycerska, w latach 1783–1786.

Utwór J. P. Woronicza z 1786 r. *Na pokoie nowe w Zamku Królewskim obrazami sławnieyszych czynów polskich, portretami i bustami znakomitszych Polaków ozdobione* odnosił się przede wszystkim do Sali Rycerskiej, ale zarazem składał hołd Sali Tronowej:

> Cóż to za nowy widok w Zamku Twoim błysnął?
> Wszyscy oczu, ięzyka, ruchu odbieżeli,
> Sam dzień na blask mnogiego złota zgasł i prysnął,
> Rzeźby, kunszta, marmury wzrok i głos zaieli —
> Sam tu za mną krok uczyń Lachu zadumiały!
> A w niemych twarzach Królów wyczytawszy wiele,
> Obacz ieszcze, iak klękał onym świat...

W urządzeniu Sali Tronowej doniosłą rolę odegrały wskazania Stanisława Augusta, interesującego się każdym szczegółem. Zgodnie z założeniami króla — dzieła sztuki i zabytki przeszłości nie były w Zamku rozmieszczane dowolnie, dla celów tylko dekoracyjnych, ale służyły określonym celom, miały obrazować pewne tezy, wyrażać idee, pouczać i wychowywać.

Opis K. Brokla w *Przewodniku po Zamku Królewskim w Warszawie* z 1936 r.:

„Sala Tronowa zwana też Nową Salą Audiencyjną...

Jedna z najpiękniejszych sal zamkowych, której szczegóły dekoracji, jak bogato rzeźbione w dębowym drzewie złocone listwy z girlandami kwiatów, profile obramowań, marmurowe kominki... składają się na wytworne i okazałe wnętrze.

W głębi, naprzeciw okien, tron królewski. Fotel tronowy, z herbami Rzplitej, na podniesieniu pod baldachimem z pąsowego aksamitu, którego tło i niebo obsiane srebrnymi orłami.

Po obu stronach tronu, pod lustrami, dwa stoły bogato rzeźbione i złocone, z płytami mozaikowymi włoskiej roboty z XVIII w.

Na nich, w nowych gablotach brązowych złoconych, przechowywane są insygnia koronacyjne Stanisława Augusta. W jednej szpada z napisem i datą 1764 — w drugiej berło z akwamaryny w złocony brąz oprawne oraz łańcuch Orderu Orła Białego.

Na marmurowych delikatnie rzeźbionych kominkach cztery marmurowe kopie rzeźb antycznych, wykonane w 1785 r. w Rzymie przez A. Puccinelli. Są to posążki z napisem: Hannibal, Scipio Africanus, Julius Caesar i Pompeius Magnus.''

454.–455. Uratowane zimą 1939 na 1940 r. elementy wystroju Sali Tronowej — zgromadzone w składnicy po 1945 roku.

Udało się ocalić skrzydła wszystkich drzwi zdobione płaskorzeźbionym i złoconym ornamentem z wieńców laurowych, podobnie udekorowane fragmenty boazerii z glifów okiennych, bogato rzeźbione listwy, płyciny z ornamentyką roślinną kryjące cokołowe partie ścian, fragmenty sztukaterii z fasety wyobrażające pęki rózeg liktorskich, części kominków.

Jeden z uczestników owych pełnych poświęcenia i ryzyka działań, prowadzonych wbrew kontroli żandarmów niemieckich, B. Guerquin zapisał: ,,Wszyscy zdawali sobie sprawę, że każdy przedmiot uratowany, każdy najmniejszy detal architektoniczny pozwoli w przyszłości na przeprowadzenie odbudowy Zamku, który przecież był przeznaczony na zupełne zniszczenie.''

456. Ozdobne listwy, misternie rzeźbione w drewnie dębowym i złocone, są dziś — tak samo jak ongi — obramieniem brytów pąsowego aksamitu na ścianach Sali Tronowej. Wierne ich odtworzenie było możliwe właśnie dzięki ocaleniu XVIII-wiecznych fragmentów, które przy odbudowie Zamku wprawiono na dawne ich miejsca (na zdjęciu: listwa pozioma to uratowany autentyk).

457.–462. Sala Tronowa w trakcie rekonstrukcji — zrealizowanej na podstawie ocalonych więk-
szych i mniejszych autentycznych fragmentów, na podstawie dawnych projektów i pomiarów, a także na
podstawie archiwalnych zdjęć wykradzionych na początku wojny z siedziby Gestapo.
Szczególnie wzrusza obejrzenie kolejnych zgrzebnych, mozolnych etapów powstawania tła dla królewskiej
wspaniałości tronu...

△
463.–464. (Ilustracja powyżej i ilustracja na następnych stronach.) Sala Tronowa po rekonstrukcji — widok ▷
od tronu ku oknom patrzącym w nadwiślańską przestrzeń oraz widok od okien ku tronowi.
Realizując odbudowę zniszczonego przez najeźdźców Zamku Królewskiego w Warszawie, jednego
z symbolów państwowości polskiej i odrodzeńczej siły polskiego narodu, w całym blasku przywrócono
do życia artystyczne dokonania doby stanisławowskiej.

465. Fragment portretu Stanisława Augusta w stroju koronacyjnym: miecz z 1764 r. z rękojeścią zakończoną głową Orła oraz Orzeł na płaszczu królewskim.

Na koronację króla w warszawskiej kolegiacie św. Jana w dniu 25 listopada 1764 przywieziono z Krakowa odwieczne insygnia koronacyjne królów polskich, wśród nich i miecz Szczerbiec, a zaraz po uroczystości zwrócono je do skarbca koronnego.

Miecz z 1764 r. (nazywany też szpadą) był od następnego dnia po koronacji używany wówczas, kiedy król w monarszy strój odziany przyjmował hołdy składane władcy Rzeczypospolitej.

Miecz ten wraz z berłem Stanisława Augusta i łańcuchem Orderu Orła Białego po rozbiorach wywieziono do Rosji i złożono w Ermitażu. Po traktacie ryskim Polska odzyskała te regalia. Przekazane do Państwowych Zbiorów Sztuki na Zamku — były eksponowane w Sali Tronowej.

We wrześniu 1939 uratowano je przed najazdem niemieckim. Dotarły do Kanady, tam były przechowywane wraz ze skarbami wawelskimi, wraz ze Szczerbcem.

Do Polski powróciły w 1959 r. W Muzeum Narodowym w Warszawie oczekiwały na czas odbudowy Zamku.

466. Zwieńczenie fotela tronowego stojącego w Sali Tronowej — wykonanego na zlecenie Stanisława Augusta około 1780 r. wedle projektu J. Ch. Kamsetzera. Dwie wyrzeźbione z drewna i złocone alegoryczne postacie: Sprawiedliwość i Pokój — podtrzymują kartusz z czterodzielnym herbem Rzeczypospolitej, mającym na tarczy sercowej herb Poniatowskich. Ponad kartuszem — korona królewska.

W zbiorach Zamku zachowały się jeszcze trzy fotele tronowe, które służyły ostatniemu królowi Polski: tron z Sali Audiencjonalnej Dawnej, tron z Sali Rady oraz tron z Sali Senatorskiej.

467.–468. Zaginiony podczas wojny cenny zespół znajdujący się w Sali Tronowej przed 1939 r. — konsola z hebanu i złoconego brązu oraz stojący na niej zegar (dzieło paryskiego zegarmistrza według projektu J.L. Prieura) z figurą Uranii, która dłonią wskazywała bieg godzin na obracających się obręczach antycznej wazy. Ocalono część zegara: dwa putta trzymające kartusz z herbami Rzeczypospolitej i Stanisława Augusta pod koroną królewską.

469.–470. Fragment Sali Tronowej przed 1939 r. i fragment poświęconej Zamkowi wystawy w Muzeum Narodowym w 1971 r.

Wiele elementów uratowano z Sali Tronowej. Zwraca uwagę brak historycznego baldachimu z zapleckiem, na którym widniały haftowane srebrem orły. ,,18 października 1939 zjawił się w Zamku dr Frank ze swoją świtą... W Sali Tronowej osobiście zdarł na pamiątkę kilka srebrnych orłów z baldachimu nad tronem. Od tego dnia począwszy, systematycznie grabiono zbiory Zamku...'' (*The Nazi Kultur in Poland*).

Baldachim był wykonany w Polsce około 1780 r. Po rozbiorach pruskie władze kazały przemalować orły na czarno. Za Księstwa Warszawskiego przywrócono im srebrny blask. Po upadku powstania listopadowego baldachim wraz z fotelem tronowym trafił do zbiorów carskich w Moskwie, skąd wrócił na mocy traktatu ryskiego. Po konserwacji, od r. 1924 znów wznosił się w Sali Tronowej aż do owego dnia, gdy ręka hitlerowskiego dostojnika zrywając orły polskie dała sygnał do dewastacji Zamku.

Dziś trwają żmudne prace zmierzające do rekonstrukcji baldachimu w całej jego świetności.

Przeznaczony do rozmów politycznych i dyplomatycznych ośmioboczny Gabinet Konferencyjny — przylegający do Sali Tronowej — uchodził za perłę stylu stanisławowskiego. Budziło zachwyt zharmonizowanie architektury z dekoracją ścian ozdobionych arabeskami J.B. Plerscha na złotym tle, z przepiękną intarsjowaną posadzką i innymi cennymi elementami wyposażenia, z siedmioma portretami ówczesnych monarchów. Stanisław August chciał podkreślić, że jest między nimi *par inter pares,* równy wśród równych.

Uratowano niewiarygodnie wiele z wyzłoconego arcydzieła architektury i dekoracji. Nawet fragmenty dekoracji ściennej — i te mieniące się tysiącznymi kolorami, i te delikatne, jednobarwne, które techniką *en grisaille* komentowały rządy przedstawionego na portrecie króla.

Pod podobizną Ludwika XVI symbol ekonomicznego rozwoju kraju; Fryderyk II — scena militarna; Katarzyna II — nadanie praw; Gustaw III — zgromadzenie wszystkich stanów; Jerzy III — flota.

Portret Piusa VI znajdował się nad drzwiami — nie było więc miejsca na malowaną alegorię; alegorią było samo przejście do Sali Tronowej pod patronatem Romy.

Józefowi II przypadło miejsce nad zwierciadlaną wnęką z kanapą — przypadek czy aluzja do znanego porzekadła o szczęśliwej Austrii, która zwiększa swe włości metodą zaślubin.

Malowane sceny głosiły program rządów idealnego władcy, który dba o dobro poddanych, respektuje prawa, popiera rozwój rolnictwa i handlu, potępia zaborczość, ale jest gotów do wojny obronnej.

Ideał, a nie odbicie rzeczywistości w krajach rządzonych przez tych monarchów.

Cisza pośród malowanych postaci wre pasjami — o których Stanisław August już wiele wiedział w dobie kreowania Gabinetu (1783–1786).

Sąsiedzi. Trzy Czarne Orły.

Fryderyk II — sentymentalny esteta przeistoczony w zimnego wodza ,,armii mającej własne państwo'' — rozgromił wojska austriackie i połknął Śląsk wnet po urodzeniu Józefa II. Ów jednak podrósł i włożył koronę w porę, aby zdążyć u boku matki na wspólne z Fryderykiem II i Katarzyną II dokonanie pierwszego rozbioru Polski w 1772 r.

Ileż refleksji budzi ten mały pokoik...

Szekspirowska groza walki władców po szekspirowsku sąsiadująca z błazenadą. W inwentarzu zamkowym z 1793 r. wymieniono w Gabinecie aż ,,8 Taboretów'' (i to miał być znak równorzędności władcy Polski z innymi monarchami Europy). Cztery z owych taboretów uratowano...

Uratowano także — w inwentarzu z 1793 r. wymieniony — kruchy, kunsztowny stolik z wyobrażeniem Telemachowych przygód wedle Fenelona; ten przypominał: ,,*Que tu seras heureux, si tu surmontes tes malheurs, et si tu ne les oublies jamais!*'' ,,Jakże będziesz szczęśliwym, jeśli przezwyciężysz swoje nieszczęścia i jeżeli nigdy o nich nie zapomnisz!''

NAJWIĘCEJ STARANIA WŁOŻONO W WYKUWANIE I PRZEWOŻENIE DO MUZEUM PIĘKNYCH MALOWIDEŁ ARABESKOWYCH NA ZŁOCISTYM TLE WYKONANYCH W R. 1784 PRZEZ J.B. PLERSCHA.

471. Elementy uratowane z Gabinetu Konferencyjnego na wystawie w Muzeum Narodowym w 1971 r.
472.–473. (Ilustracje na stronach następnych.) Gabinet Konferencyjny przed 1939 r. Odwracając stronicę można ▷ obejrzeć wszystkie portrety: Ludwik XVI francuski mal. A. Roxlin; Fryderyk II pruski mal. F. Lohrmann; Katarzyna II caryca rosyjska mal. A. Albertrandi; Gustaw III szwedzki mal. P. Krafft; papież Pius VI mal. P.S. Battoni; Jerzy III angielski mal. T. Gainsborough; Józef II austriacki, cesarz rzymski mal. J. Hinckel.

474.–475. Widok z Sali Tronowej ku Gabinetowi Konferencyjnemu przed 1939 r. i obecnie.

Patrząc dziś na ciche, wypielęgnowane wnętrze — takie jak było dawniej — z trudem uprzytamniamy sobie, że to misterne odtworzenie przeszłości z ocalonych okruchów.

Kawałki tych złocistych ścian — uratowane — pamiętają smagnięcia lodowatego wichru, który wpadał przez wyłupione okna, zimno jak w dantejskim piekle, zamarzającą na ustach parę oddechu, palce tracące czucie. Termometrów w szkielecie murów nie było, żeby mówiły, że w ową zimę z roku 1939 na 1940 mrozy dochodziły trzydziestu stopni. Jakże tu wtedy pracowano?! Co ludziom wtedy tu przychodzącym kazało działać w imię dewizy ,,*Contra spem spero*'' ,,Mam nadzieję wbrew brakowi nadziei''?!

476. Zdjęcie z 1978 r. ukazujące narożnik południowo-zachodniej ściany ośmiobocznego Gabinetu Konferencyjnego po wmontowaniu uratowanych elementów Plerschowego fresku.

477. Fragment zachodniej ściany Gabinetu — po rekonstrukcji całej groteskowo-arabeskowej dekoracji. Pod portretem Katarzyny II alegoria nadania przez carycę kodeksu praw.

Naszą uwagę przykuwają mitologiczne syreny namalowane pod portretem Katarzyny II — usytuowanym w honorowym miejscu, nad kominkiem.

Z mitologii wiemy, że wabiący śpiew syren prowadził ku okrutnej śmierci.

Czy projektodawca umieścił je tu przypadkiem? Czy była w tym ukryta ocena „Semiramidy Północy"?

Może jednak Stanisław August wziął z antyku tylko znaczenie syreny jako symbolu nieśmiertelności...

A może przypomniały mu się podobne syreny namalowane w sekretnym miłosnym gabinecie Katarzyny...

478.–479. Prace w 1978 r. nad wmontowywaniem w fasetę uratowanych elementów fresku. Dziś pod spokojną, szlachetną urodą malowidła — o wzorach modnych w dobie klasycystycznego uwielbienia dla starożytności — nikt nie domyśli się zgrzebnych konstrukcji, inżynierskich obliczeń, twardych rygorów pracy.

480.–481. i 481 a. Urodziwe potwory. Skrzydlaste człeko-bestie. Harpie z łapami lwa. W tych miejscach fasety, gdzie ściana ze ścianą w ośmiobok się łączy. Niby wszystkie takie same — a drobnym, niezauważalnym szczegółem różniące się jedna od drugiej.

Na złotolitym tle ścian zszarzały ton — znak, że ten fragment malowidła pamięta dwa stulecia: i blask Oświecenia, i zachód Rzeczypospolitej, i zrywy ku swobodzie, i długą noc niewoli, i odzyskanie niepodległości, i dumę Zmartwychwstałej, i bomby września, i grozę okupacji.

Skrzydlate człeko-bestie. Urodziwe potwory. Na fasecie ponad monarchami. Między portretem a portretem. Harpie.

Nauczyły Stanisława Augusta i jemu współczesnych, że trzeba wiele, wiele wytrzymać.

Oto dwie piękno-groźne zjawy. Z lewej i prawej strony ponad portretem Katarzyny II. Ta lewa między portretem carycy a portretem Fryderyka II, w Prusach nazwanego Wielkim, głównego inspiratora pierwszego rozbioru Polski.

Projektodawcy Gabinetu — zakończonego w 1786 r. — jeszcze nie wiedzieli, że „opiekuńcza Minerwa" zrealizuje też i drugi, i trzeci rozbiór Polski. Wspólnikami tych wydarzeń już nie zdążą być Fryderyk II i Józef II — ale po ich zgonie synowie pójdą twardym śladem ojców.

Skrzydlate człeko-bestie. Urodziwe potwory. Harpie ponad podobiznami monarchów. A co z bohaterami portretów?

Za życia (ba, jeszcze za panowania) Stanisława Augusta Ludwik XVI złożył głowę na szafocie. Gustaw III zginął od ciosu spiskowych sztyletów.

Stanisław August zmarł w 1798 r. jako były król Polski, której wówczas nie stało na żadnej mapie politycznej — zmarł na wygnaniu w Petersburgu, dokąd ze swego wygnania w Grodnie przeniósł się po śmierci Katarzyny II.

W ostatnim roku XVIII stulecia zmarł Pius VI w niewoli francuskiej.

Tylko Jerzy III żył i żył aż do roku 1820, aż mu w pamięci zdążył się zatrzeć gorzki smak utraty wielkiej części imperium — utraty przypieczętowanej uznaniem niepodległości Stanów Zjednoczonych w 1783 r. (czyli akurat wtedy, gdy zaczęto urządzanie Gabinetu Konferencyjnego).

Dawno nie ma tamtych władców. Na mapach powytyczano nowe granice, których nie byli w stanie przewidzieć. A złociste ściany i stubarwne freski — od złota cenniejsze — tysiącom zwiedzających mówią, że *historia magistra vitae,* że historia jest nauczycielką życia.

I jeszcze: że życie jest krótkie, sztuka trwa.

482.–483. W Gabinecie Konferencyjnym — jak przed dwoma wiekami — można oglądać arcydziełko sztuki meblarskiej XVIII wieku (wyrób znanego francuskiego ebenisty M. Carlina).

,,...Stolik okrągły Porcellanowy na trzech nogach bardzo przednio zrobiony, Brundzem suto okładany, osobliwe do tego opisanie maiący, to iest Grotę Kalipsy Thelemaka oznaczający...'' pojawił się już w 1782 r. w Polsce, sprowadzony przez Stanisława Augusta, który lubił się utożsamiać z postacią Odysowego syna Telemacha.

Sceny przedstawione na plakietkach z sewrskiej porcelany są ilustracjami do powieści *Les Aventures de Télémaqué,* napisanej w 1699 r. przez F. de Salignac de Mothe-Fénelona. Była to jedna z najpopularniejszych książek w całej Europie XVIII wieku, w Polsce wierszem i prozą tłumaczona, wielekroć wydawana.

Wielobarwna środkowa plakietka (mal. Ch. N. Dodin, 1777 r.) ukazuje Telemacha w towarzystwie Mentora — a właściwie Minerwy, która przybrała postać Mentora — kiedy uratowawszy się z rozbicia statku opowiada swe przygody pięknej nimfie Kalipso i jej towarzyszkom.

Do paradoksów historii można zaliczyć fakt, że ów powabny sprzęcik miał przekazywać umoralniające przestrogi skierowane ku władcom, by nie dali się uwieść urokom zniewieściałości i próżniactwa...

484.–485. Fragment zrekonstruowanej podłogi we wschodniej części Gabinetu Konferencyjnego oraz fotografia podłogi w Gabinecie Konferencyjnym przed 1939 r. (widok w stronę południowego okna).

Podziw budzi precyzyjne odtworzenie kompozycji z 10 gatunków szlachetnego drewna.

Ale nie mniejszy podziw budzić winny stare zdjęcia, które pomogły zrekonstruować Zamek. Odbitki fotograficzne wykonano z przedwojennych klisz szklanych, które stanowiły część zbiorów Centralnego Biura Inwentaryzacji. Wielkie, ciężkie, a tak kruche szklane klisze przetrwały czas zniszczeń wojennych dzięki jednej z owych niewiarygodnych akcji podziemnego frontu walki o polską kulturę.

Zbiory CBI mieściły się w gmachu przy Ai. Szucha, który w październiku 1939 r. został zajęty na siedzibę Gestapo. Daremnie starano się o zgodę na wywiezienie klisz. „... zdecydowałem — wspomina prof. J. Zachwatowicz — że wjedziemy na teren gmachu i zabierzemy klisze bez pozwolenia. Jeden z pozostałych jeszcze w gmachu woźnych Ministerstwa otworzył nam boczną bramę... Inny woźny otworzył okna od wewnątrz... Część naszej grupy weszła do wnętrza i podawała skrzynie z kliszami przez okna, część ładowała je na samochód... Przy załadowaniu połowy resory naszej ciężarówki zaczęły niebezpiecznie osiadać. Zdecydowaliśmy wyjechać z załadowanymi skrzyniami i wrócić następnie po resztę...”

Wywieźli klisze. Wrócili. Zabrali resztę, całą dokumentację. Z gmachu na Szucha zajętego przez Gestapo.

Gabinetu Konferencyjnego. Jedno ze zdjęć dokumentujących dewastację Zamku, wraz z opisem.

Zapiski prof. S. Lorentza informują, że dopuszczone przez okupantów na Zamek ekipy z Muzeum Narodowego miały zabierać tylko to, co Niemcom niepotrzebne. Nieoficjalne jednak ich zadanie obejmowało też rejestrację metod niszczenia Zamku.

„Po kilku dniach nastąpiła fatalna wpadka. Przy fotografowaniu saperów, borujących otwory na ładunki dynamitowe, złapali nas żandarmi z Feldgendarmerie Potsdam, stacjonujący na Zamku. Fotografował kustosz Jan Morawiński i asystent Zygmunt Miechowski, asystowałem ja i Maria Friedlówna...''

Dzięki niezwykłemu szczęściu i szybkiemu refleksowi prof. Lorentz wyszedł cało z opresji. Potem udało się wyciągnąć z więzienia innych. Nawet aparat fotograficzny odzyskano, choć bez filmu.

Ktoś może zapytać: jeśli film został zabrany przez Gestapo, to skąd owo autentyczne zdjęcie?!

„Wpadka'' nastąpiła dopiero po kilku dniach. Pierwszy film został wykonany i wyniesiony wcześniej... W latach sześćdziesiątych zaczęło się bardzo długie — na pozór absurdalne — szukanie odbitek z owego pierwszego filmu. Nie żył już Miechowski i Morawiński. W kręgu historyków sztuki nikt o owym pierwszym filmie nie pamiętał. Aż nagle. Po trzech latach kwerend. W jednej z bibliotek, w zespole archiwalnym. Kilka zżółkłych zdjęć datowanych na odwrocie: 28.XI.1939...

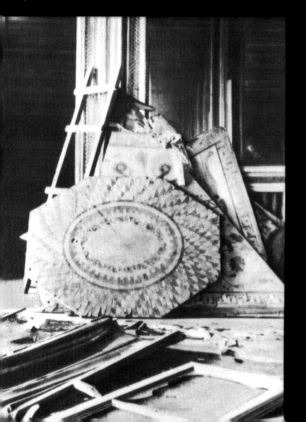

Warszawa — Zamek
28 . XI . 1939
Najcenniejsza posadzka
wypotowana do więzienia

488. W podziemiach Muzeum Narodowego przy fragmentach fresków uratowanych z Gabinetu Konferencyjnego podczas demolowania Zamku przez hitlerowców. Stoją od lewej: Stanisław Lorentz, Józef Grein, Bohdan Marconi, Stanisław Pawłowski, Zygmunt Miechowski, Maria Friedlówna-Bogucka, Michał Walicki, Jan Morawiński. Zdjęcie 1939/1940 r.

489. Zebranie w gabinecie dyrektora Muzeum Narodowego S. Lorentza w 1941 r. Tu ustalano codzienne plany dotyczące ratowania zabytków. Od lewej: Jerzy Grabowski, Jan Morawiński, (?), Bohdan Marconi, Józef Grein, Stanisław Lorentz, Maria Bernhard, Jerzy Sienkiewicz.

490. Uratowane fragmenty fresków z Gabinetu Konferencyjnego przeniesione do podziemi Muzeum Narodowego. Zdjęcie 1939/1940 r.

W akcji ratowania zamkowych fragmentów brały udział liczne ekipy godnych zaufania osób z różnych środowisk.

Nazwiska nielicznych zostały zapisane.

Mistrz Stanisław Jankowski, kierujący grupą sztukatorów, opowiada: ,,Wybieraliśmy tylko te części, które w przyszłości pozwoliłyby na odtworzenie całości. Na przykład, jeśli było 10 jednakowych rozet, zdejmowaliśmy tylko jedną i tylko jeden kapitel czy powtarzającą się część ornamentu.''

Jego syn, też Stanisław Jankowski, który wraz z ojcem uczestniczył w pracach na Zamku, wspomina: ,,Zdejmowaliśmy także obramowania obrazów. Nie drewniane ramy, a właśnie obramowania wykonane z mieszaniny piasku i wapna, wzmocnionej palonym drewnem. Poza tym malowidła ścienne... Robiliśmy to nie trzymając się bynajmniej zasad obowiązujących przy tego rodzaju pracach. Odcinaliśmy od cegieł tynki z malowidłami i ozdobami gipsowymi wcale nie zabezpieczając ich powierzchni. Nie było na to czasu... Dziesiątki kawałków układaliśmy na drzwiach i wynosiliśmy z Zamku, by je następnie przewieźć do Muzeum. Ratowaliśmy więc jednocześnie zamkowe drzwi, a na to zgody Niemców nie było...''

Bez specjalnych urządzeń. Bez technicznych ułatwień. Bez żadnej pewności, że starania okażą się skuteczne. Zdejmowali części fresków. Wynosili. Pod groźbą więzienia, a nawet śmierci — za zbyt śmiałe przekraczanie uprawnień, za ukrywanie tego, co winno stać się łupem Trzeciej Rzeszy.

Znani z imienia. I bezimienni. Uratowali. Nie dla monarszej pamięci. Dla nas, którzy dziś przychodzimy do Zamku. Dla naszych dzieci i wnuków, które tu będą przychodzić.

491.–497. Na porcelanie malowane sceny z Fenelonowych przygód Telemacha — części'stolika z Gabinetu Konferencyjnego: 1) Telemach z Mentorem jako rozbitkowie lądują na wyspie Kalipso. 2) Telemach opowiada, że był wzięty do niewoli i w nędzy pracował jako pasterz. 3) Nimfy palą okręt, aby uniemożliwić Telemachowi i Mentorowi odjazd od Kalipso, z jej wyspy błogości — ci jednak skaczą ze skał w morze, by wpław dotrzeć do innego statku. 4) Telemach zwycięża w pojedynku Hippiasza — ale zapanowawszy nad swą porywczością doprowadzi do zgody z przeciwnikiem. 5) Telemach w poszukiwaniu ojca schodzi do krainy umarłych — tam widzi srogie kary wymierzone władcom złym oraz zaszczytne miejsca monarchów miłujących pokój i sprawiedliwość, dobrych dla poddanych. 6) Telemach — zwycięsko wyszedłszy z rozlicznych prób — oddaje cześć Minerwie, która zrzuciła przebranie Mentora i ulatuje w niebo.

W tym kruchym stoliczku — ocalonym spośród zniszczeń — kryła się wciąż żywa pociecha na gorzkie stulecia: Owa opowieść Telemacha o jego ciężkiej niewoli i o słowach Apollinowego kapłana Termozirisa, że nawet bóg słońca Apollo stał się kiedyś niewolnikiem-pastuchem i że z dna niedoli wydobył się krzewiąc w prymitywnym otoczeniu sztukę, naukę i cnotę. ,,Niech ci, Synu moy, te dzieje nauką będą, bo w tymże żyjesz co Apollo stanie — mówił przekład z XVIII wieku — pokłady nowizny, puste jak on w żyzne obracay pola, naucz wszystkich pasterzow, jakie w zgodzie przyjemności i jak cnota jest kochania godna, ułagodź dzikie umysły..."

498. W warszawskim Zamku na próg Izby Poselskiej rzucił się Rejtan z okrzykiem: ,,Zabijcie mnie, za-
depczcie, ale nie zabijajcie Ojczyzny!'' Chciał powstrzymać współposłów od przejścia do Izby Senatorskiej
i wyrażenia zgody na postanowienia zatwierdzające pierwszy rozbiór Polski. Był to rok 1773.
W niespełna sto lat później Matejko zaczął malować swój obraz *Rejtan.*
W. Eljasz informował J.I Kraszewskiego listem z 8 grudnia 1866: ,,Formalne walki staczają się o obraz *Rejtana na sejmie warszawskim.* Ultrademokraci i stronnicy osobiści Matejki bronią żarliwie tej kompozycji,
gdy ogół obruszony jest treścią i wystawieniem ohydnej karty dziejowej naszego narodu na widownię...''
W trzy dni potem odpisał mu Kraszewski: ,,Widziałem ja obraz Matejki przed ukończeniem... Malowany był
wybornie, ale mi się zdawało w nim duszno... Mijam to, że wybrał rzecz ohydną, ale któż historią upadku maluje tak, aby z lat od 1772 do 1790-któregoś powybierać ludzi, co z sobą nigdy na jednej ławie nie
siedzieli, i razem ich skupić? Co znaczy w takim razie Rejtan?''
Pozornie anachroniczne łączenie osób występujących w różnych miejscach na przestrzeni ponad dwudziestu
lat wynikało z metody Matejki, który każdym obrazem dawał jakby skrót dziejowego procesu. Zdobywszy
możliwie pełną wiedzę o epoce i jej ludziach — potem zamieniał to nie w ilustrację jakiegoś konkretnego
wydarzenia, ale w swoistą summę wiadomości i przeżyć, w wizję mocarną, konkretną, dotykalną.
Mówiąc o historii narodu swoimi obrazami — chciał ukazywać narodowi siły będące motorem dziejów, ich
dynamizmem. A przez to tworzyć nową historię narodu. Jego płótna były trybuną polityczną.
Rozumiał to przyjaciel Matejki Leonard Serafiński, pisząc: ,,... ten na ziemi ogniem zapału, bólem rozpaczy
i poświęceniem męczeństwa drgający człowiek — to naród, to Polska sama, brutalną przemocą, zdradą,
przekupstwem, gwałtem, rozbojem powalona, upadająca, ale nieupadła i niespodlona. *Rejtan* to symbol
dziejowy; ten obraz to upadek Polski, a nie jej sprzedaż. Sakiewka z rozsypanym złotem zdrajców to epi-
zod — jak oni sami, przeminie. Naród-Rejtan trwać będzie jak on w izbie sejmowej, uparcie, wiecznie, aż
do szaleństwa idei ojczyzny bez ziemi, trwać będzie, jak trwa pamięć Rejtana cnoty i Rejtana miłości.''
Rejtan — w 1921 r. wykupiony przez rząd polski z byłych zbiorów cesarskich w Wiedniu — należał do Państwowych Zbiorów Sztuki na Zamku, skąd został wywieziony w 1939 r. Odnaleziony w 1945 r. w stanie roz-
paczliwym, poddany długiej, pieczołowitej konserwacji w Muzeum Narodowym w Warszawie — powrócił
do warszawskiego Zamku i z jego ścian przemawia jako znak żarliwej woli niepoddawania się złu.

Na miedziorycie Fryderyk II koń-
cem szpady wskazuje cel dalszy;
Gdańsk, który wówczas uporczy-
wymi staraniami dyplomatycznymi
umknął chciwej ręce chwytającej
północną Wielkopolskę i całe
Pomorze Gdańskie.
„Kto ma ujście Wisły, ten trzyma
polską gęś za szyję" — mawiał
władca Prus, tak nazywając naszego
Białego Orła...

500. Rejtan w obrazie Matejki nie
jest osamotniony.
Są w sali sejmowej całe grupy,
które reagują przerażeniem, obu-
rzeniem, żałością.
Ten rozpacza, ów załamuje ręce,
inny patrzy błagalnie na króla.
Ale najdonioślejszy jest milczący
krzyk Rejtana.
Skroś wieków brzmi głos tego, któremu nawet sznurek szkaplerza na
piersi zda się układać w kształt
dawnych granic Ojczyzny...

499. Pierwszy rozbiór Polski.
Po Europie krążyły miedzioryty z alegoryczną sceną: wiatr historii
zrywa koronę z głowy Stanisława Augusta, odlatuje sława narodowa, a trójca zaborczych monarchów oddziera części z tego,
czemu dawano nazwę: „kołacz królewski" lub „ciastko królów".
Trzy Czarne Orły.
Kiedy upadła konfederacja barska, Fryderyk II obawiał się, że Katarzyna II może zagarnąć całą Polskę. Wykorzystał więc konflikty
europejskie towarzyszące ówczesnej wojnie rosyjsko-tureckiej.
Zaproponował usunięcie nieporozumień między Austrią i Rosją
kosztem Rzeczypospolitej.
Propozycję przyjęto.

501. Zaraz po Wyzwoleniu, jeszcze wśród trwającego powojennego zamętu, wśród ruin, czasem pod kulami — muzealnicy, bibliotekarze, archiwiści, ci wszyscy, co podczas wojny walczyli o polską kulturę — podjęli poszukiwania skarbów naszej kultury i historii, zagrabionych, porzuconych w nieoczekiwanych miejscach.

W czerwcu 1945 r. wyjechały na Śląsk ekipy z Muzeum Narodowego dla prowadzenia akcji rewindykacyjnej. Szukano ze zmiennym szczęściem.

W lipcu 1945 r. odnaleziono pod Jelenią Górą w miejscowości Przesieka (jeszcze wtedy nosiła nazwę Hain) wywiezione z Warszawy obrazy — między innymi dzieła Matejki: *Unia Lubelska, Batory pod Pskowem, Rejtan*. Obrazy przeniesiono do Muzeum w Jeleniej Górze.

1 sierpnia 1945 — akurat w pierwszą rocznicę powstania warszawskiego — Pełnomocnik Rządu na powiat jeleniogórski i Pełnomocnik Rządu na miasto Jelenia Góra położyli swe podpisy pod wzruszającym aktem:

„Najjaśniejszej Rzeczypospolitej Polskiej dla uczczenia oswobodzenia od niemieckiego najeźdźcy i nowoodrodzenia Polski... dzieła znakomitego rodaka Jana Matejki... dla dalszej opieki przyszłym pokoleniom przekazujemy.''

502. W hallu Muzeum Narodowego w Warszawie urządzono wystawę odzyskanych obrazów Matejki.
Zaraz po zakończeniu pierwszej, bolesnej wystawy „Warszawa oskarża'' — otwarto tę wystawę nadziei.
Arcydzieła Matejki zwrócone Najjaśniejszej Rzeczypospolitej Polskiej. Przyjęte pod opiekę.
Z wojennej tułaczki obrazy wróciły jednak w stanie niedobrym. *Rejtan* w stanie wręcz fatalnym. Ileż trzeba było wiedzy, umiejętności, wysiłków, precyzji, cierpliwości, uporu — żeby zabliźnić rany obrazu, żeby przyszłym pokoleniom mówił on o miłości Polski.

503.–504. Jest w obrazie Matejki postać, która często uchodzi uwadze oglądających, a która ma z Rejtanem najżywszą łączność psychiczną. To młody chłopak, który podniesieniem karabeli i krakuski z trójbarwną jakobińską kokardą daje Rejtanowi znak porozumienia, nadziei, podjęcia walki.

W początkach 1939 r. historyk sztuki M. Treter ostro krytykował ,,owego chłopaka z karabelą, który nie wiadomo jak i po co dostał się do tego dostojnego grona, a który, znajdując się niemal na pionowej osi obrazu, rozprasza uwagę widza...'' Przesłanie Matejki było zaś zaadresowane nie do analityków sztuki, ale do owych chłopaków, którzy od września 1939 r. podnosili — już nie karabele — ale karabiny, steny, visy, a także pędzel, pióro i uratowaną od zniszczenia, wykradzioną wrogowi rozetę, listwę, fragment ramy obrazu...

Powrót posła Juliana Ursyna Niemcewicza — poety, polityka, żołnierza — płomiennie mówił o tych, co na Sejmie Czteroletnim „wskrzeszają mądrą wolność, skracają swawole".

Z równą mocą potępiał przekupnych magnatów, ciemnych konserwatystów:

Ten to nieszczęsny nierząd, to sejmów zrywanie
Kraj zgubiło, ściągnęło obce panowanie,
Te zaborów, te srogich klęsk naszych przyczyną.
I my sami byliśmy nieszczęść naszych winą!
Gnijąc w zbytkach, lenistwie i biesiad zwyczaju,
Myśleliśmy o sobie, a nigdy o kraju;
Klęskami ojców nowe plemię ostrożniejsze,
Wzgardziwszy zyski, było na całość baczniejsze...

Olbrzymią rolę w urabianiu opinii publicznej odegrała wówczas poezja: dramat, oda, satyra, pamflet.

Jedni poeci ośmieszali albo piętnowali opieszałość, wstecznictwo, prywatę, inni budzili w społeczeństwie zapał patriotyczny, zachęcali sejmujące stany do godnego wywiązania się ze swych obowiązków.

505.–507. Tron królewski — ocalony — który wrócił do pieczołowicie odtworzonej Sali Senatorskiej.
Supraporta z monogramem króla i dekoracja nadokienna — detale z tejże Sali Senatorskiej, dziś Salą Konstytucji 3 Maja nazywanej.

Dzieło Sejmu Czteroletniego całe związane jest z Zamkiem — od potajemnych narad wstępnych, przez debaty poselskie i narady senatorów, aż do aktu Konstytucji. Na Zamku odbywał się ostatni etap prac redakcyjnych nad nową Ustawą. „Król, jak tylko można incognito, wymykał się ze swoich pokojów i bocznymi korytarzami spuszczał się do Piatollego (swego sekretarza)... Tam już sprzysiężonych swoich zastawał. Czytano i rozstrząsano każdy paragraf osobno" (J.U. Niemcewicz).

508. Kiedy stoimy w wiernie zrekonstruowanej Izbie Senatorskiej — w której uchwalono Konstytucję 3 Maja — z trudem możemy wyobrazić sobie, że wobec tego miejsca dwakroć wykonano rozkaz unicestwienia.

Pierwszy raz, kiedy po powstaniu listopadowym car polecił — jako karę za uchwalenie w tej sali detronizacji Romanowów z tronu Królestwa Polskiego — przeciąć salę w poziomie podłogą i wszystko poprzegradzać ścianami.

Po odzyskaniu niepodległości nie starczyło środków na dzieło renowacji.

Drugi rozkaz zniszczenia — hitlerowski rozkaz — padł w 1939 r. Dopełniono go w 1944 r., zakładając ładunki dynamitu w wywiercone już otwory.

Zamek legł w gruzach.

Ale pozostała nie dająca się złamać wola istnienia narodu, która jedno ze swych źródeł miała w owej uchwalonej w 1791 r. Konstytucji. W Polsce Ludowej odtworzono tę Izbę Senatorską w całym blasku. Przychodzą tłumy. Słuchają przewodników:

Na dzień 6 października 1788 został zwołany sejm, który miał otrzymać miano Wielkiego. Trwał on nie 6 tygodni — wedle dawnego zwyczaju — ale cztery lata. Po dwóch latach obradował w podwojonym składzie Izby Poselskiej. Przeprowadził od podstaw doniosłą reformę ustroju, tworząc nowoczesne państwo narodowe w miejsce feudalnego.

Uchwalona w tym miejscu (choć mury nowe, miejsce dokładnie to samo!) Konstytucja 3 Maja była pierwszą w Europie, a drugą na świecie — po Stanach Zjednoczonych — sformułowaną na piśmie ustawą zasadniczą.

Ową „łagodną rewolucję" wysławiano w wielu krajach Europy zachodniej i w Ameryce Północnej. Nikt jednak nie przyszedł z pomocą, kiedy Katarzyna II, zwyciężywszy w wojnach ze Szwecją i Turcją, kazała wkroczyć w granice Polski swoim wojskom „wezwanym" przez konfederację targowicką.

Mimo bohaterskiego oporu w obronie „majowej jutrzenki", mimo paru zwycięskich dla Polaków bitew — przemoc wzięła górę. Rosja, Prusy i Austria uzgodniły sprawę drugiego rozbioru Polski, dokonanego w 1793 roku.

„Musiałeś upaść, nieszczęśliwy narodzie!... Ale nie rozpaczaj jeszcze zupełnie o losie. Uważaj Konstytucyją 3 Maja jak ostatnią wolą konającej ojczyzny! Tym sposobem... przygotujesz zmianę losu przyszłych pokoleń i uskutecznisz głęboką przestrogę filozofa geneweńskiego, tak upominającego naród polski: «Polacy! jeżeli przeszkodzić nie zdołacie, aby was nie pożarli sąsiedzi, starajcie się, aby was strawić nie mogli!»" (H. Kołłątaj, 1793 r.).

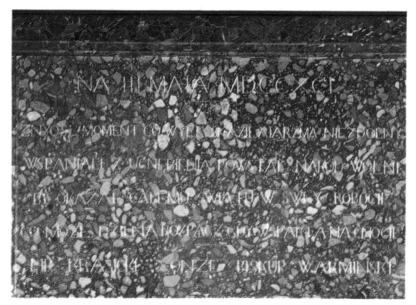

NA 3 MAJA 1791
ZNIÓSŁ MOMENT, CO WIEK SKAZIŁ, A JARZMA NIEZDOLNY,
WSPANIAŁY, Z UGNĘBIENIA POWSTAŁ NARÓD WOLNY,
BY OKAZAŁ CAŁEMU ŚWIATU W SWEJ ROBOCIE,
CO MOŻE DZIELNA ROZPACZ, GDY WSPARTA NA CNOCIE.

509.–510. Strona tytułowa wydrukowanej Konstytucji 3 Maja.
Tablica pamiątkowa z wierszem Ignacego Krasickiego, ufundowana przez autora dla Świątyni Opatrzności, której budowę rozpoczęto podczas obchodów pierwszej rocznicy uchwalenia Konstytucji.

511. Obraz nieznanego malarza w sposób naiwny, ale pełen przejęcia ukazujący chwilę uchwalenia Konstytucji. W głębi sali widać tablicę, którą uczczono pamięć Tadeusza Rejtana.

512.–516. Portrety posłów na Sejm Czteroletni, malowane ówcześnie przez J. Peszkego. Od lewej: Hugo Kołłątaj twórca „kuźnicy kołłątajowskiej", gdzie zapłonął duch Konstytucji, aż ulica odpowiedziała echem: „Wiwat maj! Trzeci maj! Wiwat wielki Kołłątaj!"; marszałek Sejmu Czteroletniego Stanisław Małachowski; Adam Kazimierz Czartoryski; Antoni Barnaba Jabłonowski; Stanisław Kublicki.

517. Precyzyjna, wykwintna akwaforta J. Łaskiego według rysunku J.P. Norblina wykonanego w Izbie Senatorskiej w dniu 3 maja 1791. W głębi sali — oglądanej od strony południowej — stoi tron, król zaprzysięga uchwaloną Konstytucję. Po obu stronach senatorowie, za nimi posłowie Rzeczypospolitej. Wokół sali galeria dla publiczności.

519. Drukowana w Warszawie, wyzwolonej od wojsk rosyjskich 18 kwietnia 1794, „Gazeta Powstania Polski". Na pierwszej stronie: Tadeusz Kościuszko „Naywyższy Naczelnik Siły Zbroyney Narodu Polskiego". Insurekcja kościuszkowska, choć zakończona klęską, po której nastąpił trzeci rozbiór Polski, pozostawiła tradycję bezkompromisowej walki w obronie Ojczyzny i żarliwych działań dla poprawy doli ludu.

518., 520. Kasetę z sercem Kościuszki, „przyjaciela wolności", w 1927 r. uroczyście przywieziono ze Szwajcarii i umieszczono w Kaplicy Królewskiej na Zamku. W pierwszych dniach września 1939 r. ową relikwię narodową ukryto w katedrze św. Jana, gdzie przetrwała okupację i zniszczenie Warszawy w 1944 r. Wydobyta z ruin, zostawała pod opieką Kościoła. W 1963 r. przekazano ją do Muzeum Narodowego. Okryta biało-czerwoną chorągwią, zamknięta w ozdobnej drewnianej urnie, od 1971 r. czekała w pałacu łazienkowskim na dopełnienie odbudowy Zamku — dokąd wróciła w nowej urnie, powtarzającej w brązie kształt dawny.

521. *Plac Zygmunta 29 listopada 1830 r.* — rycina według rysunku J. F. Piwarskiego, z cyklu, który ukazywał najważniejsze wydarzenia powstania listopadowego.

W Królestwie Kongresowym, powstałym w 1815 r., Zamek był jak ongi siedzibą sejmu.

Po Kongresie Wiedeńskim Królestwo Polskie zachowało niektóre atrybuty niezależnego państwa.

Krok po kroku Aleksander I wycofywał obietnice. Królestwo było pozbawiane konstytucyjnych uprawnień, upokarzane i deprawowane systemem policyjnym.

Sytuacja zaostrzyła się za Mikołaja I. Musiał przyjść wybuch.

522. Powstańcze zwycięstwa z dumą prezentował współczesny im obraz M. Zalewskiego *Wprowadzenie do Zamku sztandarów zdobytych pod Wawrem i Dębem Wielkim.*

Powstanie listopadowe uratowało ogarniętą rewolucyjnym wrzeniem Francję i zrzucającą ucisk narodowy Belgię przed zbrojną interwencją Mikołaja I (w pierwszych szeregach swej armii car chciał posłać przeciw Zachodowi oddziały z Królestwa Polskiego). Wszystkie zmobilizowane wojska rosyjskie skierowano przeciw polskim powstańcom.

„To, co się działo w Polszcze od chwili, jak ziemię naszą źli sąsiedzi rozerwali pomiędzy siebie, pokazuje dostatecznie, że w nas jest pewna siła, którą trzeba nazwać siłą dźwigania się z każdego upadku" — pisał Mochnacki w historii powstania listopadowego (nie szczędząc zresztą gorzkich słów o błędach i winach).

523. Działający podczas powstania sejm na posiedzeniu w dniu 25 stycznia 1831 jednomyślnie zdetronizował „króla polskiego" Mikołaja I i całą dynastię Romanowów. Moment detronizacji cara ukazywała krążąca po Europie francuska litografia wedle rysunku N. Thomasa. Przypominano słowa zaczynające akt odczytany z trybuny sejmowej; „Naród polski, na sejm zebrany, oświadcza, iż jest niepodległym ludem...".

Mickiewicz — poświęcając *Redutę Ordona* jednej z ostatnich walk obronnych przed kapitulacją Warszawy — w wymiar najwyższy przeniósł pamięć o owej podjętej w Zamku decyzji sejmu powstańczego:

> Mocarzu! Jak Bóg silny, jak szatan złośliwy!
>
> Gdy Turków za Bałkanem twoje straszą spiże,
>
> Gdy poselstwo paryskie twoje stopy liże,
>
> Warszawa jedna twojej mocy się urąga,
>
> Podnosi na cię rękę i koronę ściąga, ·
>
> Koronę Kazimierzów, Chrobrych z twojej głowy,
>
> Boś ją ukradł i splamił synu Wasilowy!

Walka z caratem — nie oznaczała wrogości wobec ludu rosyjskiego. W czasie powstania manifestacyjnym obchodem czczono pamięć dekabrystów. Na drogach marszu armii carskiej rozrzucano proklamacje rewolucyjne do żołnierzy, a specjalne patrole pwstańcze z inicjatywy Lelewela stawiały proporczyki z polskim oraz rosyjskim napisem: „Za naszą i waszą wolność".

524. Sala Senatorska, w której uchwalono detronizację, została za to „ukarana" na rozkaz cara po upadku powstania: przedzielono ją stropem na dwa poziomy, pokrajano ścianami na mniejsze pomieszczenia (widać je na dokumentarnym zdjęciu z około 1915 r.). Trwało niszczenie Zamku. Grabież dzieł sztuki. Szpecące przeróbki. Sale zamkowe oddano na pomieszczenia sołdackie. Bibliotekę stanisławowską obrócono w stajnię. Represjom patronował brutalny carski namiestnik Iwan Paskiewicz-Erywański, przez długie lata rezydujący w „byłym zamku królewskim" (jak brzmiała oficjalna nazwa).

525. Demonstracja patriotyczna bezbronnego ludu Warszawy na placu Zamkowym w dniu 8 kwietnia 1861, kiedy od salw wystrzelonych na rozkaz namiestnika Gorczakowa padło ponad stu zabitych, kilkuset rannych (ilustracja nieznanego autora w londyńskim „Ilustrated Times" z 22 czerwca 1861).

Po latach Wiktor Gomulicki w poemacie *Krwawe ślady* wspominał owe wydarzenia:

Knutem bitą, szablami sieczoną,
Falę ludzką w zaułki wtłoczono...
Ach, widziałem, widziałem! tu... o, tu...
Stu padało od każdego grzmotu.

Zamek zajęty przez namiestników carskich stał się symbolem skrajnego zagrożenia. Ale i punktem przyciągającym tłumy, polem walki o nadzieję.

W dalekim Paryżu już wnet po upadku powstania listopadowego Słowacki półrealnie, półfantastycznie opisał plac Zamkowy i amfiladę zamkowych komnat, czyniąc z tego miejsca tło dramatu *Kordian*. Tu była droga, którą młody podchorąży szedł do wyzwoleńczego czynu.

Kordian nie zabił cara, nie wyzwolił Polski. Car wydał wyrok śmierci na Kordiana. Ale Kordian żył — w polskich sercach.

Słowo poety — zakazane, prześladowane, karane Cytadelą i Sybirem, a jednak przemycane przez kordony — pozostawało nakazem.

Uspokojenie, napisane w 1845 r., jakby przepowiadało zawieruchę, która się zerwie na Rynku Staromiejskim:
„...o kościół katedralny skrzydłami zawadzi, Porwie królewski Zamek, otworzy jak trumnę, A potem na Zygmunta uderzy kolumnę!"

Słowacki nie doczekał śmierci „żandarma Europy" Mikołaja I i jego wiernego sługi namiestnika Paskiewicza. Nie doczekał złudzeń polskich związanych z rzekomym liberalizmem Aleksandra II, zdmuchniętych słynnym powiedzeniem: *„Point de rêveries!"* „Żadnych złudzeń!". Nie doczekał rosnącej od 1860 r. wielkiej fali demonstracji patriotyczno-religijnych, które często zrywały się właśnie na Rynku Staromiejskim i stamtąd szły ku Zamkowi.

526. *Na placu Zamkowym* — rysunek Artura Grottgera z 1862 roku, z cyklu *Warszawa II*. Pamięć o bezmiarze cierpień. Pamięć o zrywie patriotycznych mas miejskich tęskniących za wolnością, o którą będą walczyć w nadchodzących dniach 1863 roku. Przesłanie: „*Gloria victis!*" „Chwała zwyciężonym!"

527.–528. Wojska rosyjskie obozujące na placu Zamkowym — widok od Krakowskiego Przedmieścia ku Zamkowi i od zamkowego dziedzińca trójkątnego ku Krakowskiemu Przedmieściu (ilustracje zamieszczone w wydawanym w Wiedniu „Postępie" i w paryskim „Illustration"). Sztychy, rysunki, szkice krążyły po Europie.

Historycy ustalili z wielką precyzją dni, ba, nawet godziny: gdzie i kiedy zakładano obozowiska, kiedy oddziały odwoływano, a potem znów je przysyłano na to samo miejsce. Uściślili, kiedy rezydujący w Zamku namiestnik Gorczakow dał rozkaz strzelania, a kiedy wyraził zgodę na Delegację Miejską i straż porządkową złożoną z polskich akademików; kiedy polecił rozwiązać i Delegację Miejską, i Towarzystwo Rolnicze; kiedy współpracował z Andrzejem Zamoyskim, a kiedy z margrabią Wielopolskim. I kiedy znów kazał strzelać.

Wszystkim pozostaje w pamięci zainstalowany na Zamku telegraf, zapewniający stałą łączność z dworem w Petersburgu: najpierw telegraf optyczny, ze specjalną wieżą obserwacyjną, potem od około 1858 r. telegraf elektryczny.

Car raz po raz słał depesze: „działać bez pobłażania". Wieczorem po masakrze 8 kwietnia 1861 do „liberalnego" naczelnika Gorczakowa przyniesiono list od Andrzeja Zamoyskiego: „Mości Książę. Jeszcze krew. Oto cała odpowiedź temu nieszczęśliwemu, rozdartemu, prześladowanemu, pozbawionemu ojczyzny narodowi. Mości Książę... Mówiłeś o koncesjach, o poszanowaniu jego religii, narodowości... Czekaliśmy wzruszeni i niecierpliwi, uspokajaliśmy, jak się dało, wzburzenie tego biednego ludu... Kiedy ukazał się godny pożałowania rozkaz rozwiązania Tow. Rolniczego... lud nazwał to prowokacją... Lud protestuje bez broni wobec tendencji tak sprzecznej z danymi obietnicami — w odpowiedzi dziesiątkuje się go!... Tyle krwi przelanej czy może uspokoić wzburzone namiętności? Nie, Mości Książę. Krew wzywa krew, krew wyzwala tylko nienawiść."

Andrzej Zamoyski nie mógł wiedzieć, że tegoż dnia liberalny namiestnik Gorczakow pisał do Petersburga, do kuzyna-wicekanclerza: „Nie mogę Ci opisać udręki, jaką przeżywałem tego ostatniego ranka z obawy, by ci nędznicy nie odłożyli na inny dzień okazji, która by pozwoliła mi puścić im krew, jak to przygotowałem."

Namiestnicy zmieniali się. Po śmierci Gorczakowa przybył namiestnik Suchozanet, potem namiestnik Lambert, potem namiestnik Lüders, potem brat cara wielki książę Konstanty, a potem — już w czasie powstania — namiestnik Berg.

Telegraf niestrudzenie pracował.

Wojskowe namioty stawiano na ulicach Warszawy, zwijano i znów stawiano. Aż wreszcie w styczniu 1863 zarządzono brankę młodzieży polskiej do rosyjskiego wojska.

Odpowiedzią był wybuch powstania styczniowego.

Miasto stanęło w służbie sprawy ojczystej, wraz z całym krajem słuchając rozkazów Rządu Narodowego. Za zryw wolnościowy zapłacono najwyższe ceny.

529.–530. Cenną dokumentację dotyczącą wnętrz zamkowych na przełomie sześćdziesiątych i siedemdziesiątych lat XIX wieku zawdzięczamy Aleksandrowi Gryglewskiemu (temu który swym poczuciem perspektywy nieraz pomagał zaprzyjaźnionemu z nim od lat chłopięcych Janowi Matejce).

Leciutkie ołówkowe szkice, ocalałe w zbiorach Muzeum Narodowego, są ledwie widoczne. Ale oparte o nie drzeworyty, precyzyjnie rytowane dla ,,Tygodnika Ilustrowanego'', pozwalają dokładnie obejrzeć Salę Rycerską i Gabinet Konferencyjny — ograbione z obrazów, pozbawione swych patriotycznych przesłań.

Spadek czasów pogromcy powstania listopadowego namiestnika Paskiewicza. Szlakami takichże wrogich polskości działań chodził pogromca powstania styczniowego namiestnik Berg. Po Bergu odzierżą Zamek — niżsi rangą od namiestników, ale równi wrogością wobec tego, co polskie — generał-gubernatorzy: Hurko, Skałon, Engałyczew.

531.–532. Zamek na obrazach J. Seydlitza. Widok od wylotu Krakowskiego Przedmieścia namalowany przed 1851 r., kiedy jeszcze rozkaz namiestnika Paskiewicza nie spłaszczył dachów Zamku, nie „upięk-szył" go ciężkimi attykami. Widok od południowego wschodu namalowany między rokiem 1855 a 1858: nad „upiększonym" przeróbkami Zamkiem góruje charakterystyczna wieża telegrafu optycznego; na pierwszym planie wiadukt Pancera, przygotowany z myślą o przyszłym moście.

533.–534. Namalowany przez P. Michalczewskiego obraz przedstawiający porywanie polskich dzieci na placu Zamkowym w 1831 r. po upadku powstania listopadowego — powtarzano w szkicach, litografiach, ilustracjach, nawet w hafcie.

Nie było to przedstawienie jakiegoś konkretnego, znanego z historii wydarzenia, ale jakby uczuciowa synteza długiego, bolesnego okresu zaboru.

Plac Zamkowy i Zamek ukazywano jako miejsce symboliczne, serce udręczonej Warszawy. Warszawa zaś stała się symbolem zmiażdżonej Ojczyzny.

Słowacki w *Ofiarowaniu* pisał w 1838 r.:

> U nóg twych kładę: O! żałosna wdowo
> Polskiego ludu! O! Matko w żałobie
> Tych, co śpią w krwawym pochowani grobie,
> I tych — co wierzą, że wstaniesz na nowo...
> WARSZAWO! Tę pieśń ci pod nogi kładę,
> I nóg skrwawionych twoich sięgam głową.

Również Warszawie była poświęcona *Dedykacja* Norwida.

Wiersz Norwida — powstały w 1866 r. — do czytelników stołecznych dotarł dopiero w roku 1877, i to ze względów cenzuralnych pozbawiony zakończenia błagającego los o jeden choćby kamień z warszawskiego bruku „na którym krew i łza nie świecą"...

OI TY, MŁODOŚCI MEJ STOLICO!

Z BRUKU TWEGO RAD BYM MIEĆ KAMIEŃ,

NA KTÓRYM KREW I ŁZA NIE ŚWIECA!

NORWID

Kiedy wreszcie przyszła chwila, że trzy czarne orły, które rozszarpały Polskę, starły się we wzajemnej walce I wojny światowej — Polacy umieli wykorzystać szansę odzyskania niepodległości.

Podejmowano tysiączne starania, żeby nie pozostać bezimiennym mięsem armatnim w zaborczych armiach. Szukano różnych dróg — żołnierskich, dyplomatycznych. Próbowano tworzyć w kraju administrację, zalążki władzy — choćby w oparciu o tego czy innego zaborcę, który rzucał hasło odbudowy Polski. Pielgrzymowano do szefów wielkich mocarstw.

Tak jak w *Popiołach* mówił Żeromski: ,,Ile krwi, męki, trudu, sławy wsiąknie w obce pola — któż to odgadnie? Ale zostanie reszta. Ze wszystkich rozstajnych dróg jedna jakaś do Polski będzie prowadziła!''

W wolnej już Rzeczypospolitej jej prezydent Stanisław Wojciechowski pierwszym znanym z nazwiska mieszkańcem Zamku Królewskiego w Warszawie uczynił wielkiego pisarza: Stefana Żeromskiego.

535.–537. Odbudowując Zamek — w nowo wznoszone mury wmontowano ocalały fragment zwany „ścianą Żeromskiego". Odtworzono mieszkanie, gdzie ostatni rok życia spędził w Zamku ten, który dla wielu był symbolem Polski walczącej i niepodległej, „wyrazem najwyższych i najlepszych wartości polskiego ducha" (Maria Dąbrowska). Spoglądając obecnie na owo uratowane okno mieszkania Żeromskiego — dziś przysłonięte delikatnym muślinem — za rzadko myślimy o walkach stoczonych po to, by mury Zamku mogły znów stanąć. Zapominamy też, jak targały polskim sumieniem utwory Żeromskiego, jak opierano się jego pasji „rozdrapywania sumień, aby nie zarosły błoną podłości".

Twarz wielkiego pisarza — namalowana przez jego córkę Monikę — zdaje się wciąż przypominać przesłanie, jakie zawarł w *Snobizmie i postępie*: „Polska odrodziła się z krwi i pracy męczenników po to, żeby na miejscu, gdzie stała ciemnica niewoli, rozpostarło się najjaśniejsze pracowisko postępu."

W 1924 r., kiedy Żeromski szykował się do zamieszkania w Zamku, wydrukowano jego *Wiatr od morza*. „Wszyscy — wspominała po latach Maria Dąbrowska — jesteśmy wstrząśnięci siłą, z jaką wielki pisarz postawił przed oczyma Polski wiekową grozę niemczyzny. Przypominamy sobie, że już *Róża* kończyła się okrzykiem: «Czekają na niego Niemcy! Niemcy! Niemcy!»"

W roku 1925 — parę miesięcy przed śmiercią — pisał Żeromski z Zamku do harcerskiej młodzieży, iż „walkę na śmierć o istność naszą nakazuje nam miłość ojczyzny", wzywał do czujnego trwania na straży Mazur i Kaszub.

538. Zamek Królewski w Warszawie — reprezentacyjny gmach Rzeczypospolitej — harmonijny i godny, poważny i spokojny. Nieświadom gromów, jakie nań spadną. Nie słyszący proroczych słów przestrogi. (Obraz S. Zaleskiego z 1938 r.)

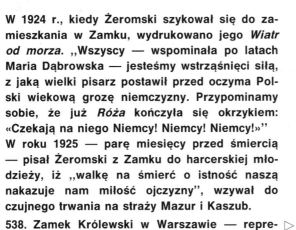

539. Malowany przez E. Łuniewicz-Rogoyską w 1935 r. widok placu Zamkowego — ujęty z góry, od strony Krakowskiego Przedmieścia, z wyeksponowaną kolumną Zygmunta, mającą z prawej strony fragment Wieży Zygmuntowskiej i część zachodniej pierzei Zamku. Wszystko wesołe, jaskrawe, o kształtach sprowadzonych do najprostszych form. Wszystko tętniące życiem. Wszystko pełne najlepszych nadziei.

Po 123 latach od trzeciego rozbioru Polski powstało państwo polskie. Niepodległe. Powstały instytucje, których w dobie niewoli nie było, bo być nie mogło: administracja, prawodawstwo, wojsko, szkolnictwo. Polskie, jednolite. Powstały nowoczesne ośrodki gospodarki jak Gdynia czy Centralny Okręg Przemysłowy. Naród, rozdarty na trzy części, zrósł się, scalił.

540. Godło Polski. Orzeł Biały. Po I wojnie światowej raz po raz zrywały się spory o kształt Orła, o jego koronę. Dawano różne przykłady, często paradoksalne. Orzełek bez korony na maciejówkach pierwszej kadrowej — pierwszego oddziału strzeleckiego, który pod dowództwem Józefa Piłsudskiego wyruszył z Krakowa na drogę walki o wolność Polski. Orzeł w koronie na sztandarach Powstania Wielkopolskiego — ziemi przeoranej tradycją Związku Plebejuszy i chłopskich kółek rolniczych. Orzeł w koronie na sztandarach trzykrotnego ludowego zrywu powstań śląskich. Uchwała sejmu z 1919 r. zatwierdziła Orła w koronie, o kształcie zbliżonym do ostatniego godła sprzed rozbiorów. Potem upowszechnił się nowy wzór Orła według projektu prof. Z. Kamińskiego, zatwierdzony przez sejm w 1927 r. I taki właśnie patrzy na nas z mozolnie a serdecznie zahaftowanego płatu tkaniny...

541. Zgięty pod ciężarem dźwiganego globu-zegara marmurowy Chronos z Sali Rycerskiej.
Symbol wiecznego trwania, a zarazem symbol niszczącego wszystko upływu czasu. Milczący, niewzruszony, obojętny świadek mijających stuleci.
Memento. A zarazem nadzieja, jakże trudna nadzieja.

542. Korpus dyplomatyczny z życzeniami noworocznymi u Prezydenta Rzeczypospolitej Polskiej Ignacego Mościckiego na Zamku w Sali Rycerskiej.
Dokumentarne zdjęcie ukazujące spotkanie i najlepsze życzenia z okazji Nowego Roku 1939.
Za rok w tym miejscu był już tylko szkielet murów.

543. Widok, który trwa w pamięci.
Płonąca wieża Zamku Królewskiego w Warszawie. 17 września 1939. Dzień, kiedy oblężeniem Warszawy osobiście kierował Adolf Hitler. Dzień, kiedy Warszawa miała się poddać, a Polska przestać istnieć na zawsze.

Piasku, pamiętasz? Ziemio, pamiętasz?
...runęło niebo.
Tłumy odarte z serca i z ciała,
i dymił ogniem każdy kęs chleba,
i śmierć się stała...
Piasku, to tobie szeptali leżąc,
wracając w ciebie krwi nicią wąską,
dzieci, kobiety, chłopi, żołnierze:
„Polsko, odezwij się, Polsko..."
— tak pisał o rodzinnym Mazowszu poeta, uczestnik walki podziemnej, żołnierz warszawskiego powstania,

544.–546. Zamek Królewski w Warszawie. Widziany z ulicy
Świętojańskiej — na obrazie Matejki sławiącym uchwalenie Konstytucji 3 Maja. Widziany z ulicy Świętojańskiej po-
żegnalnym spojrzeniem nieznanego obserwatora — gdy
już wysadzono część murów zachodniej pierzei Zamku (tę
właśnie, gdzie uchwalono Konstytucję). Widziany z lotu
ptaka w 1945 roku — zwalisko cegieł i kamieni w oceanie
gruzów Stolicy.
Kiedy wysadzono mury Zamku? 8 września 1944 — wedle kartoteki Diplom. Architekta Mensebacha? W końcu
listopada 1944? w grudniu?

547. Już w styczniu 1945 roku — zaraz po wyzwoleniu Warszawy spod okupacji niemieckiej — warszawiacy zaczęli wracać do ruin swego miasta. Ożywały wspomnienia.

Tu właśnie — w rejonie Zamku — podczas powstania przez dwa tygodnie trwały walki, bohatersko toczone przez oddziały ze zgrupowania majora „Roga" (S. Błaszczaka), oddziały skrajnie różniące się poglądami, ale najgodniej walczące z druzgocącą przewagą wroga. A kiedy trzeba było się wycofać — powstańcy równie bohatersko bronili katedry św. Jana.

548. Zorganizowany na placu Zamkowym 28 marca 1945 wiec dla uczczenia oswobodzenia Gdańska — rodził nadzieję, że nowe władze cenią to miejsce, gdzie stał „Zamek Króla Jegomości i Rzeczypospolitej".

Już w 1945 rozpoczęto inwentaryzację ocalałych fragmentów zamkowych. W 1947 r. przywrócono do życia Pałac pod Blachą, zrekonstruowano Bramę Grodzką i odgruzowano teren Zamku — wydobywając z ruin każdą wartościową część budowli. Dnia 2 lipca 1949 sejm podjął uchwałę wzywającą rząd do odbudowania Zamku.

„...do rozpoczęcia prac budowlanych upłynęło bez mała dwadzieścia dwa lata... Opóźnienia w odbudowie Zamku były sprawą złożoną... Stosunek do dziedzictwa historycznego przybierał różne postacie... Zaniechanie na długie lata dzieła restytucji Zamku Królewskiego i zburzenie okazałego wypaleniska Zamku Ujazdowskiego nie wynikały z rozważań ekonomicznych." (Materiały sesji naukowo-konserwatorskiej pt. *Restytucja Zamku Królewskiego w Warszawie*, 1986.)

549. Dnia 26 stycznia 1971 odbyło się inauguracyjne posiedzenie Ogólnopolskiego Komitetu Odbudowy Zamku Królewskiego w Warszawie.

ŻYCIE WARSZAWY

ROK XXVII NR 17 (8480)　　　CZWARTEK, 21 STYCZNIA 1971 R.　　　CENA 1 ZŁ.

Z inicjatywy władz i społeczeństwa stolicy

Zamek w Warszawie — będzie odbudowany

△

◁ **550.–553. (Ilustracja na stronie poprzedniej oraz ilustracje powyżej.)**
Dokumentarne zdjęcia ukazujące stan terenów zamkowych w styczniu 1971 r., w okresie ogłoszenia decyzji
o odbudowie Zamku Królewskiego w Warszawie.
Widok z góry, od strony Krakowskiego Przedmieścia i widok od strony Wisły, a także spojrzenie na
południowo-zachodni narożnik Zamku.
Na każdym ze zdjęć — jak znak tożsamości — „ściana Żeromskiego".
Obywatelski Komitet Odbudowy — zwracając się do społeczeństwa o uczestnictwo w dziele restytucji
Zamku, głosił w *Apelu:*
„Gdy obok starych murów obronnych wzniesiemy Zamek, znów odżyje ten wielki symbol naszej państwo-
wości, symbol trwania niepodległego narodu, świadectwo najbardziej dumnych i najbardziej tragicznych
kart naszej przeszłości.
We wspólnej pracy nad odbudową Zamku stworzymy nowe wartości, które staną się własnością nas
wszystkich.
Miliony Polaków i Polek będą miały swój wkład i swój udział w dziele, którego się podejmujemy.
Scementuje to naszą jedność."

554.–555. Projekt odbudowy przygotowano pod kierunkiem generalnego projektanta prof. Jana Bogusław- ▷
skiego w pracowni architektonicznej Przedsiębiorstwa Państwowego Pracownie Konserwacji Zabytków,
popularnie zwanego PKZ-etami.
Pracy towarzyszyły liczne dyskusje podejmowane wśród młodych architektów, wśród studentów.
W imieniu Obywatelskiego Komitetu Odbudowy Zamku Królewskiego projekty odbudowy akceptowane były
przez kuratorium zamkowe pod przewodnictwem prof. Jana Zachwatowicza, a projekty wyposażenia wnętrz
i program muzeum zamkowego przez komisje pod przewodnictwem profesorów: Stanisława Lorentza,
Jana Zachwatowicza i Aleksandra Gieysztora.

556.–559. Prace murarsko-budowlane przy wznoszeniu Zamku rozpoczęto w 1971 roku w symbolicznym dniu 17 września. Poprowadzono je z wielką energią.

Oto — biegnące z góry na dół, jak klatki filmu — zdjęcia dokumentują szybki postęp robót:

11 listopada 1971,

styczeń 1973,

styczeń 1974,

7 lipca 1974.

19 lipca 1974 zakończono I etap odbudowy: bryła Zamku w stanie surowym była gotowa. Owego dnia o godzinie 11¹⁵ ruszył zegar na Wieży Zygmuntowskiej, którego wskazówki w 1939 roku zamarły właśnie o tej godzinie. Autor niezapomnianego *Alarmu dla Miasta Warszawy* napisał wtedy:

> Ślad znajdziesz dawnych stuleci
> Na tarczy tego zegara,
> Radosny Maja Dzień Trzeci
> I detronizację cara.
>
> Urok salonów paryskich
> i werble królewskiej warty.
> i w poprzek parkietów śliskich
> Rejtana kontusz rozdarty...
>
> Troskliwa dłoń go podniosła,
> gdy padł pociskiem rozbity.
> Sztuką polskiego rzemiosła
> zwrócony Rzeczpospolitej.

Równie jak wiersz wzruszają dane — chłodne, suche — świadczące o rozmiarze wykonanych zadań:

„Powierzchnia zabudowy — 6 200 m².

Powierzchnia użytkowa — 21 360 m².

Powierzchnia dachów — 8 200 m².

Kubatura obiektu — 144 580 m³, w którą wbudowano 10 milionów sztuk cegieł, dających 25 823 m³ murów.

W obiekcie powstały 302 pomieszczenia z 464 otworami okiennymi i 360 drzwiami.

Konstrukcja stalowa wymagała użycia 1000 ton stali.

Na hełmy, pokrycia i obróbki zużyto 2 200 m³ drewna, w tym 40 m³ modrzewia.

Zużyto też 20 tys. kg blachy miedzianej i 30 tys. kg blachy ołowianej.

Na dachu ułożono 176 000 dachówek.

Pozłocono 30 m² detalu zewnętrznego...

Skalę trudności ocenić można chociażby na przykładzie różnego typu sklepień, którymi zostały przykryte wnętrza zamkowe. Położono 1257 m² sklepień beczkowych z lunetami, 1292 m² sklepień krzyżowych, 1081 m² sklepień kopulastych.

Zastosowano nowe rodzaje izolacji przeciwwilgociowej w ilości 31 500 m² papy, w tym warstwy z wkładkami metalicznymi ułożonymi na podłożach lepikowych o specjalnych i oryginalnych recepturach!

(Ze Sprawozdania Dyrekcji PP Pracownie Konserwacji Zabytków jako generalnego wykonawcy.)

560. Odbudowany Zamek widziany od zachodu. Gotycki most przedbramia dawnej Bramy Krakowskiej, odkryty w 1977 r., po pracach budowlano-konserwatorskich oddany do użytku publicznego w 1983 r.

561. Przy Bramie Grodzkiej stoi jeden ze starych elementów architektonicznych kamieniarki zamkowej. Na nim wykuty napis: „Dnia 17 września 1939 roku kustosz Kazimierz Brokl ratując dzieła sztuki Zamku Królewskiego zginął w 62 roku życia na Dziedzińcu Wielkim przy Bramie Grodzkiej." I uzupełniający na-pis-informacja: „Tu miał pierwszą mogiłę."

562. Nieopodal Bramy Grodzkiej — obok części kolumny Zygmunta wysadzonej w 1944 r. przez minerów niemieckich — leży trzon kolumny pamiętający czasy Wazów.

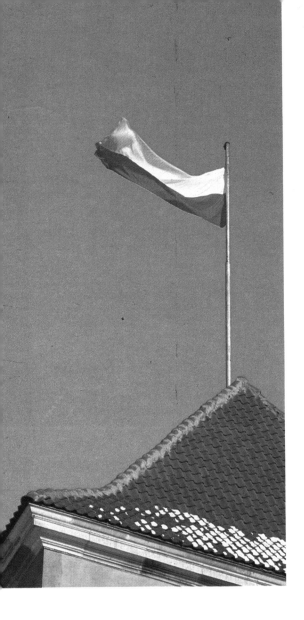

◁ 565. „...lewy ryzalit skrzydła saskiego (zwany «ścianą Żeromskiego») przetrwał w pełnej wysokości, ale trwale wychylony od pionu o 26 cm..."

„...etapem prac była inżyniersko-konstruktorska akcja prostowania...

Operacja zawierała dużo ryzyka... Stan techniczny tej ściany był zdecydowanie zły. Wysadzanie murów zamkowych spowodowało pęknięcia i odspojenia, a wpływy atmosferyczne znacznie ścianę osłabiły."

„Zaprojektowano obustronny ruszt stalowy z profili dwuteowych I 300, bardzo silnie skręcony między sobą, dołem zaopatrzony w przegub. Wyliczono siły potrzebne do poruszenia ściany i jej wyprostowania (około 25 ton) oraz opracowano system ściągów stalowych kotwiących wyprostowaną ścianę w trzech wysokościach do wykonanych nowych murów ryzalitu skrzydła saskiego... naciąg dały dwa sprzężone dźwigniki hydrauliczne napędzane ręczną pompą, osadzone na zbiorniku oleju z manometrem wskazującym uzyskane ciśnienie..."
(Inż. A. Pulikowski z PKZ Oddział Zamek.)

563.–564., 566. Znaki zwycięstwa.

Biało-czerwona chorągiew na szczycie odbudowanej Wieży Grodzkiej.

Czarna zygzakowata kreska na tynkach południowego ryzalitu w nadwiślańskim skrzydle Zamku — konserwatorsko zaznaczony ślad wmontowania w nowo wzniesione mury ocalałej „ściany Żeromskiego", pomnika-świadka dokonanych przez wroga zniszczeń.

Chłodny, rzeczowy opis trudnej i ryzykownej operacji konstrukcyjno-konserwatorskiej — krótkiej „trwała około 1,5 godziny", a poprzedzonej długotrwałymi, skomplikowanymi przemyśleniami, obliczeniami, przygotowaniami technicznymi.

We wszystkim podwójna — i jednoczesna — prawda: prawda zimnego rachunku, prawda gorącego serca.

Zamek Królewski w Warszawie wciąż przyciąga tłumy zwiedzających. Urzeka je nie tylko harmonijna proporcja murów, piękno obrazów i rzeźb, obfitość złota we wnętrzach pokrywającego sztukaterie. Wszyscy Polacy czują, że tu z najgłębszym przekonaniem można powtarzać słowa Mochnackiego: „...w nas jest pewna siła, którą trzeba nazwać siłą dźwigania się z każdego upadku".

567. (Ilustracja na stronie następnej.) Odbudowany Zamek Królewski wpisany w oglądaną zza Wisły panoramę Warszawy, miasta wskrzeszonego z gruzów.

Międzynarodowe grono ekspertów UNESCO — uznając heroiczny i bezprzykładny dowód czci społeczeństwa polskiego dla dzieła minionych pokoleń i wyrażając szacunek dla wkładu polskiej twórczej myśli konserwatorskiej naszych czasów — w dniu 2 września 1981 wpisało na listę Pomników Dziedzictwa Światowego *„centre historique de Varsovie"* — centrum historyczne Warszawy, w skład którego wchodzą Stare Miasto oraz Zamek Królewski.

HYMN
DO MIŁOSCI
OYCZYZNY.

Swięta miłości kocháney Oyczyzny,

   Czuią cię tylko umyſły poczciwe;

Dla ciebie ziadłe ſmakuią trucizny,

Dla ciebie więzy, pęta nie zelżywe;

Kſztałciſz kaleċtwo przez chwalebne blyzny,

Gnieżdziſz w umyśle roſkoſzy prawdziwe;

Byle cię mozna wſpomodz, byle wſpierać,

Nie żal żyć w nędzy, nie żal y umierać.

568. XVIII-wieczny druk *Hymnu do miłości ojczyzny.*

Jego słowa zawsze przychodzą na pamięć, ilekroć myślimy o Zamku Królewskim w Warszawie. Nie tylko dlatego, że napisał je Ignacy Krasicki, który bywał częstym gościem na Zamku w dobie stanisławowskiej, gdy bujnie rozkwitało tu piękno i wyżyn sięgała myśl oświecona. Ale dlatego, że Zamek — z takim poświęceniem oraz skutecznością ratowany, z takim poświęceniem oraz skutecznością odbudowany — stał się prawdziwym symbolem „świętej miłości kochanej ojczyzny".

569. Pamiętający czas Oświecenia, czas barbarzyńskich zniszczeń i czas zwycięskiej odbudowy Zamku — ocalony XVIII-wieczny orzeł z Sali Audiencjonalnej.

Profesor Aleksander Gieysztor:

„Z odtworzonych sal Zamku Królewskiego w Warszawie, nosiciela naszej tożsamości kulturalnej, znów promieniuje majestat dawnej Rzeczypospolitej, jej państwowości i kultury, świadcząc o wielowiekowych dziejach narodu. Do dzieła restytucji Zamku i podjętej przezeń nowej służby, do wkładanego w tę wielką sprawę wysiłku społecznego odnieść godzi się słowa Zygmunta Augusta zawarte w jego testamencie z 1572 roku: «Te wszystkie legata na jedną Rzeczpospolitą, ale tylko ku pospolitej potrzebie, nie ku czyjej inszej, i ku ozdobie potocznej, potrzebnej a uczciwej, oddajemy...»."

1945

1971

1984

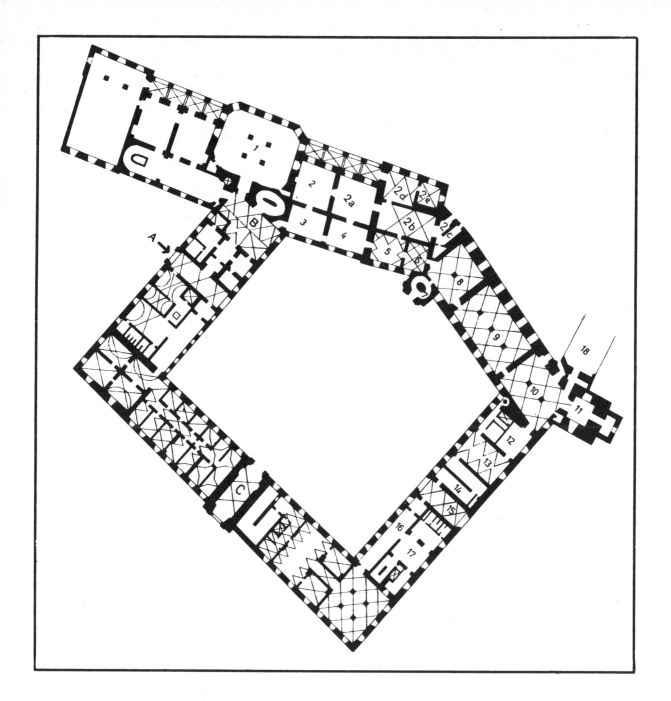

PLAN PARTERU

A — Brama Senatorska, wejście dla zwiedzających; B — Sień Główna, Galeria Rycin; C — Brama w Wieży Zygmuntowskiej.

1 — Skarbiec; 2 — Sień ku Wiśle; 2a — Komnata Główna; 2b — Sień Ciemna; 2c — Sień Skośna; 2d — Łożnica; 2e — Alkierz; 3 — Komnata Pierwsza; 4 — Komnata Wtóra; 5 — Komnata Trzecia; 6 — Sień Panien Dwornych; 7 — Schody w Wieży Władysławowskiej; 8 — Sala o jednym słupie; 9 — Sala o trzech słupach albo Izba Poselska Dawna; 10 — Sala o dwóch słupach albo Sień Poselska Dawna; 11 — Gabinet wazowski albo Izba w Wieży Grodzkiej; 12 — Izba Oficerska Dawna albo Izba Średnia; 13 — Dawna Kordegarda; 14 — Schody Wielkie albo Klatka Schodowa Mirowska; 15 — Brama Grodzka; 16 — Ganek Grodzki; 17 — Szatnia Grodzka; 18 — Biblioteka Królewska.

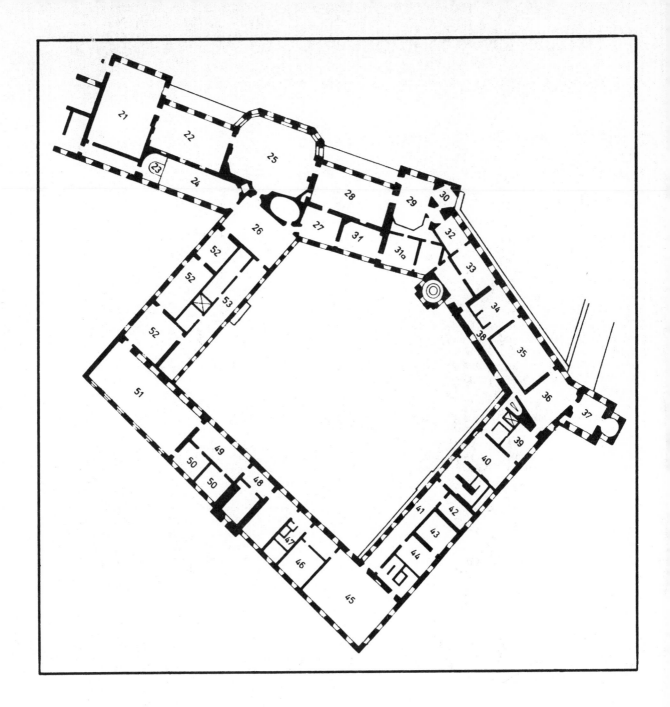

PLAN I PIĘTRA

21 — Sala Koncertowa albo Dawna Kaplica Saska; 22 — Sala Rady Nieustającej; 23 — Schody; 24 — Galeria Owalna; 25 — Sala Wielka albo Sala Balowa lub Sala Assamblowa; 26 — Przedpokój Sali Wielkiej albo Pierwsza Antykamera lub Wielka Antyszambra; 27 — Pokój Marmurowy; 28 — Sala Rycerska albo Przedpokój Senatorski; 29 — Sala Tronowa; 30 — Gabinet Konferencyjny albo Gabinet Monarchów Europejskich; 31 — Pokój Żółty; 31 a — Pokój Zielony; 32 — Gabinet Królewski; 33 — Garderoba; 34 — Sypialnia Króla; 35 — Sala Audiencjonalna Dawna; 36 — Sala Canaletta albo Przedpokój Senatorski; 37 — Kaplica Królewska; 38 — Korytarz Królewski; 39 — Pokój Oficerski; 40 — Sala Mirowska albo Pokój Gwardii Konnej Koronnej; 41 — Galeria Czterech Pór Roku; 42 — Pokój poświęcony królowi Stanisławowi Leszczyńskiemu; 43, 44 — Apartament Księcia Stanisława Poniatowskiego; 45 — Izba Poselska Nowa; 46, 47 — Pokój Wstępowy do Izby Poselskiej Nowej; 48 — Mała Galeria Warty; 49 — Galeria Warty; 50 — Pokoie Marszałkowskie; 51 — Sala Senatorska; 52, 53 — Pokoje Królewiczowskie.

DZIEJE ZAMKU KRÓLEWSKIEGO W WARSZAWIE

Warszawski Zamek Królewski — jeden z najcenniejszych pomników historycznych Warszawy — został zniszczony na rozkaz Hitlera w czasie II wojny światowej jako symbol państwowości polskiej. Odbudowano go w latach 1971–1984 ogromnym społecznym wysiłkiem Polaków.

Zaczątkiem Zamku Warszawskiego był powstały w końcu XIII w. — w ziemi książąt mazowieckich z rodu Piastów — gród związany obwarowaniami z założonym wówczas średniowiecznym miastem, które stało się kolebką Warszawy. Gród i miasto szybko nabierały znaczenia.

W połowie XIV w. w grodzie wymurowano na fundamencie z głazów granitowych potężną obronną Wieżę Wielką — *Turris Magna* — nazwaną potem Wieżą Grodzką (której dolne kondygnacje ocalały nawet po wysadzeniu Zamku przez Niemców w 1944 r.).

W początkach XV w. wzniesiono tu murowany gotycki Dwór Większy — *Curia Maior*, przy którym wyrósł Dwór Mniejszy — *Curia Minor* — i liczne uzupełniające budowle. Dwór Większy był siedzibą księcia i zarazem miejscem zebrań sejmu mazowieckiego.

Po śmierci ostatnich książąt mazowieckich włączono Mazowsze do Korony Polskiej w 1526 r. jako jej ziemie lenne.

Odtąd często w Warszawskim Zamku zamieszkiwali królowie Polski. Król Zygmunt August, ostatni z rodu Jagiellonów, zlecił przebudowanie całego zespołu zamkowego na renesansową rezydencję monarszą (1569–1572) wedle projektu J.B. Quadro. Od 1569 r. Zamek Warszawski stał się też miejscem obrad ogólnokrajowego sejmu Rzeczypospolitej Polskiej.

W XVI i XVII w. Zamek Królewski w Warszawie bywał świadkiem różnych wydarzeń o dużym znaczeniu; m.in. obradujący w Zamku sejm podjął w 1572 r. uchwałę zapewniającą wolność wyznania w Polsce i gwarantującą różnowiercom opiekę prawa (co było chlubnym wyjątkiem w ówczesnej Europie ogarniętej fanatyzmem religijnym).

Zygmunt III z dynastii Wazów obrał Zamek Warszawski na stałą siedzibę monarszą. W latach 1599–1619 przeprowadzono rozbudowę Zamku wedle projektów G. Rodondo i M. Castello. Od tej pory pięciobok zamkowy — mimo pewnych przeróbek — trwał w zasadniczym kształcie aż do zniszczeń 1944 r. Cała budowla, wyrosła z ducha wczesnego baroku, była szlachetna w proporcjach i pełna prostoty, a nawet monumentalnej surowości.

W 1644 r. obok Zamku stanął pomnik Zygmunta III na wysokiej kolumnie, ufundowany przez jego syna Władysława IV.

Za obu tych królów Zamek był istną galerią sztuki; zadziwiał wspaniałym urządzeniem (m.in. wtedy powstał słynny Pokój Marmurowy), wielką liczbą cennych tapiserii i znakomitych obrazów. Opera władysławowska należała do najlepszych w Europie. W zamkowym teatrze wystawiano liczne utwory, m.in. zaproszona trupa angielska grała tu *Hamleta* jeszcze za życia Szekspira, a w drugiej połowie XVII w.. wystawiono na Zamku polski przekład *Cyda* Corneille'a. Znajdował też na Zamku oparcie ruch naukowy w dziedzinie fizyki, astronomii, nauk przyrodniczych; na tarasie zamkowym przeprowadzono eksperyment wzbicia się w powietrze maszyny latającej.

W czasie najazdu szwedzkiego 1655–1656 r., który zalał i Warszawę, Zamek został zdewastowany, a zbiory zrabowane.

Od 1658 r. już znowu w Zamku przebywał król, powróciły urzędy centralne i archiwa Rzeczypospolitej Polskiej. Kolejni monarchowie: Jan Kazimierz, Michał Korybut, a zwłaszcza Jan III — zwycięzca spod Wiednia — dbali o przywrócenie wnętrzom zamkowym dostojeństwa.

W XVIII w., kiedy na tronie zasiadali królowie z dynastii Wettinów na przemian z królem Stanisławem z rodu Leszczyńskich, siły państwa osłabły wskutek różnorodnych tarć wewnętrznych i wskutek przetaczającej się przez polskie ziemie wojny północnej; prowadzono jednak na Zamku różnorodne prace budowlane. Najważniejszą z nich była dokonana za Augusta III przebudowa wschodniego skrzydła (1740–1746), które od strony Wisły otrzymało wspaniałą rokokową fasadę.

Dobą świetności Zamku stał się czas panowania ostatniego polskiego króla Stanisława Augusta (1764–1795). I to dobą świetności nie tylko artystycznej. Na Zamku powstały najśmielsze inicjatywy polskiego Oświecenia: Szkoła Rycerska, Teatr Narodowy, Komisja Edukacji Narodowej.

Na Zamku zrodziły się ustalenia Konstytucji 3 Maja z 1791 r., uważanej za polską „bezkrwawą rewolucję", która przypieczętowała reformy zmierzające do nowoczesnego państwa. Ta pierwsza w Europie, a druga w świecie — po Stanach Zjednoczonych — sformułowana na piśmie ustawa zasadnicza została uroczyście uchwalona w zamkowej Sali Senatorskiej.

Na zlecenie króla przygotowywano liczne projekty przebudowy Zamku. Zrealizowano nowe skrzydło wiążące Zamek z sąsiednim Pałacem pod Blachą, mieszczące Bibliotekę Królewską (1779–1782), w której ludziom sztuki, nauki i działań publicznych udostępniano bogate, naukowo skatalogowane zbiory książek, grafik, numizmatów, okazów przyrodniczych i przyrządów naukowych.

Pod opieką króla przeprowadzono przebudowę wnętrz zamkowych wedle projektów J. Fontany, D. Merliniego i J. Ch. Kamsetzera, uzyskując (1768–1786) piękne apartamenty rezydencjonalne i reprezentacyjne. Malowidła M. Bacciarellego, Canaletta (B. Belotta), J.B. Plerscha, rzeźby J. Monaldiego i A. Le Bruna oraz innych artystów wraz z cennymi dziełami sztuki użytkowej skomponowano w harmonijne zespoły podporządkowane duchowi neoklasycyzmu w jego specyficznej odmianie znanej pod nazwą „stylu Stanisława Augusta". Zawarto w nich wiele treści ideowo-patriotycznych.

Rosnąca siła i zaborczość państw ościennych spowodowała trzy rozbiory Polski (1772, 1793, 1795), kolejno pomniejszające terytorium Rzeczypospolitej, aż do wymazania jej z map Europy.

Naród polski — zachowując żywotność i siłę odrodzeńczą — stale dążył do odzyskania niepodległości, biorąc impuls z przesłań ideowych, których duża część ukształtowała się w okresie Oświecenia właśnie na Zamku. Ludowi Warszawy (pozostającej pod zaborem rosyjskim) budowla ta przez sam fakt istnienia przypominała o stołeczności miasta.

Podczas powstania listopadowego 1830–1831 r. obradujący w Zamku sejm uchwalił detronizację cara Mikołaja I jako „króla Polski". W 1861 r. — przed powstaniem styczniowym — przy Zamku odbywały się liczne manifestacje patriotyczno-religijne, choć krwawo tłumił je zaborca. Zamek był zaniedbany, cenne zbiory wywiezione, wnętrza obrócone na siedzibę carskich namiestników oraz generał-gubernatorów i na koszary. Trwała jednak pamięć o dawnym znaczeniu Zamku Królewskiego.

W dobie I wojny światowej zapoczątkowano badania nad Zamkiem oraz gruntowną jego restaurację.

Po odzyskaniu niepodległości przez Polskę w 1918 r. Zamek stał się gmachem reprezentacyjnym Państwa. Mieszkał w Zamku Stefan Żeromski do swej śmierci w 1925 r. Dzięki traktatowi ryskiemu wróciła z Rosji znaczna część wywiezionego dawnego wyposażenia, tak że zabytkowym wnętrzom zamkowym można było przywrócić ich królewski wygląd, zamieniając je w muzeum częściowo dostępne dla publiczności. Przeznaczono też Zamek od 1926 r. na siedzibę Prezydenta Rzeczypospolitej.

W czasie II wojny światowej — w dniu 17 września 1939 r., kiedy Adolf Hitler osobiście kierował oblężeniem Warszawy i kiedy Polska miała przestać istnieć na zawsze — bomby i skoncentrowany ostrzał pociskami zapalającymi wywołały pożar Zamku, choć był to gmach cywilny, nie użytkowany przez wojsko. Pod kulami mieszkańcy Warszawy ugasili pożar Zamku. Ratowali najcenniejsze elementy wyposażenia zamkowego, transportując je do podziemi Muzeum Narodowego.

Po zajęciu Warszawy przez Niemców zaczęła się zorganizowana grabież skarbów kultury zgromadzonych na Zamku oraz brutalne demolowanie wnętrz zamkowych — zgodnie z inspiracją generalnego gubernatora Hansa Franka, który 10 października 1939 r. przyszedłszy do Zamku, tu własnoręcznie zrywał srebrem haftowane orły z baldachimu tronowego i zachęcał swą świtę do naśladowania. O uzgodnionej z Hitlerem decyzji zniszczenia Zamku mówi dziennik Hansa Franka.

W dążeniu do unicestwienia Warszawskiego Zamku Królewskiego trzeba widzieć świadome, celowe, z góry zaplanowane i konsekwentnie wykonywane decyzje polityczne; już w 1939 r. istniał plan architektoniczny — tzw. plan Pabsta — zaakceptowany przez władze hitlerowskie, który przewidywał zamienienie milionowej stolicy Polski Warszawy w 130-tysięczne prowincjonalne miasto niemieckie „Warschau", zburzenie Zamku Królewskiego i wystawienie na jego miejscu ogromnej „Kongress- oder Volkshalle".

Mimo groźby najokrutniejszych represji — liczna grupa polskich historyków sztuki, architektów i pracowników Muzeum Narodowego, przekraczając ramy uzyskanych zezwoleń, podjęła niezwykle ryzykowną, ale skuteczną akcję ratowania spod ręki rabujących i niszczących Niemców wszystkiego, co dało się ukryć, schować, zabezpieczyć. Wiele cennych elementów architektoniczno-dekoracyjnych zdołano wtedy uratować, i to z myślą o przyszłej odbudowie Zamku. Starano się też robić fotograficzną dokumentację dokonywanych zniszczeń.

W lutym 1940 r. z żywego niedawno skarbca kultury i pamiątek narodowych pozostały nagie, splądrowane mury — dające jednak schronienie różnym akcjom konspiracyjnym. Jedna z nich przykuła uwagę mieszkańców Warszawy. 27 czerwca 1943 r. — w dniu imienin generała Władysława Sikorskiego — grupa członków organizacji Małego Sabotażu „Wawer" wywiesiła rankiem w oknie Wieży Zygmuntowskiej, pod martwą tarczą zegarową, kilkumetrowej długości biało-czerwoną flagę jak znak nadziei.

Podczas Powstania Warszawskiego 1944 r. Zamek stał się bastionem dla obrońców Starego Miasta, świadkiem i terenem walk oddziałów szturmowych z ugrupowania majora Roga, stawiających zacięty opór przeważającym siłom niemieckiego ataku.

Po kapitulacji Powstania władze okupacyjne wykonywały rozkaz Hitlera głoszący, że Warszawa ma być tylko „geograficznym punktem na mapie". Ludność wysiedlono. Budynki niszczono.

Dopełnił się też los Zamku Królewskiego. Do otworów w jego murach wywierconych już na przełomie 1939 i 1940 r. — Sprengkommanda założyły ładunki dynamitu i w ostatnich tygodniach 1944 r. Zamek Królewski w Warszawie legł w gruzach (ocalały gotyckie i renesansowe piwnice oraz kilka fragmentów zabudowy).

Natychmiast po wyzwoleniu Warszawy spod okupacji niemieckiej rozpoczęto przygotowania do odbudowy Zamku. Przeprowadzono inwentaryzację uratowanych elementów wyposażenia i fragmentów architektoniczno-dekoracyjnych. Segregowano gruzy na terenie Zamku, troskliwie zabezpieczając każdy ocalały kształt. Podjęto prace nad projektem odbudowy — posługując się zachowaną przedwojenną dokumentacją fotograficzną, pomiarami inwentaryzacyjnymi i planami.

Uchwała Sejmu podjęta w 1949 r. zobowiązała rząd do odbudowania Zamku.

Różnorodne trudności natury pozaekonomicznej sprawiły, że wbrew pragnieniu narodu aż do stycznia 1971 r. oddaliła się decyzja rozpoczęcia odbudowy, o którą uparcie zabiegali miłośnicy Warszawy z profesorem Stanisławem Lorentzem na czele.

Wyprzedzając ową decyzję — w ciągu kolejnych lat stopniowo realizowano prace konserwatorsko-budowlane, zabezpieczając i rekonstruując niektóre części Zamku, jak przyziemie Wieży Grodzkiej z częścią dawnej Izby Poselskiej, Bramę Grodzką, dawną malarnię Bacciarellego (odbudowaną jako Pałac Ślubów), dawne Kuchnie Królewskie (odbudowane jako mieszkania oraz siedziba jednego ze związków twórczych), a także Pałac pod Blachą, wchodzący w skład kompleksu zamkowego. Odnowiono — cudem ocalałą z rozgromu 1944 r. — salę Biblioteki Królewskiej.

W dniu 26 stycznia 1971 r. odbyło się inauguracyjne posiedzenie Obywatelskiego Komitetu Odbudowy Zamku Królewskiego w Warszawie. Ogłoszono *Apel* do wszystkich Polaków mieszkających w kraju oraz rozproszonych po całym świecie.

Przywrócenie Zamku do życia stało się możliwe dzięki ofiarności niezliczonych rzesz, które odpowiedziały na to wezwanie.

Dobrowolne wpłaty złożone z groszy wdowich i z milionowych sum pokryły koszt odbudowy Zamku bez sięgania do państwowych środków budżetowych.

Oprócz kwot w złotówkach i w dewizach zebranych od Polaków i od obcych przyjaciół Zamku — należy podkreślić wartość ogromnego wkładu pracy społecznej różnych instytucji i osób indywidualnych.

Prace budowlane rozpoczęto 17 września 1971 r. Bryła Zamku w stanie surowym była gotowa w lipcu 1974 r.

Całość Zamku wraz z wyposażonymi wnętrzami przekazano do użytku publicznego w przeddzień 1 września 1984 (tylko dokończenie Sali Wielkiej — Sali Balowej — przedłużyło się do 1988 r. ze względu na żmudność prac artystyczno-konserwatorskich).

Projekt odbudowy wykonała pracownia projektowa ,,Zamek" Państwowego Przedsiębiorstwa Pracownie Konserwacji Zabytków (PKZ) pod kierunkiem generalnego projektanta J. Bogusławskiego. Generalnym wykonawcą był Oddział ,,Zamek" tegoż Państwowego Przedsiębiorstwa Pracownie Konserwacji Zabytków (PKZ).

Zewnętrzny kształt Zamku oparto na historycznych przekazach i dawnej ikonografii. Ściśle utrzymano układ wnętrz, zachowano wszystkie ocalałe fragmenty murów. Zapewniając współczesne ogrzewanie, klimatyzację, oświetlenie, windy i inne urządzenia — nie naruszono sylwetki budowli. Zrekonstruowano z autentycznych elementów wyposażenie w stanisławowskich apartamentach reprezentacyjnych i rezydencjonalnych; inne wnętrza wyposażono w meble, obrazy, rzeźby i przedmioty sztuki użytkowej z odpowiednich epok, pieczołowicie dobrane.

Od dnia decyzji odbudowy przez cały czas wpływały i nadal wpływają bardzo cenne dary rzeczowe — podnoszące walor ekspozycji — przekazywane przez poszczególnych ofiarodawców, przez instytucje z kraju i z zagranicy, jak również przez rządy państw obcych.

Są publikacje szczegółowo podające nazwiska szlachetnych ofiarodawców. Ze względu na ich mnogość, nie mamy tu dość miejsca, aby podać wszystkich darczyńców. Zamiast więc dokonywania przypadkowego wyboru — na początku tej książki zamieszczono jako symbol nazwisko Jana Matejki, który już w 1893 r. — w Polsce będącej wówczas pod zaborami ufając w przyszłą niepodległość Ojczyzny — ofiarował narodowi swój obraz *Konstytucja 3 Maja*, przeznaczając go do zawieszenia w zamkowej sali...

Zamek Królewski w Warszawie nieustannie przyciąga tłumy zwiedzających z kraju i z całego świata.

Ze strony cudzoziemców sprawa odbudowy Zamku spotykała się i spotyka z wyrazami uznania oraz solidarności. Uważana była i jest za akt o szerokim znaczeniu ogólnoludzkim jako protest przeciw strasznym skutkom wojny i protest przeciw świadomemu niszczeniu dóbr kultury.

Teksty, dobór ilustracji, układ graficzny i zdjęcia
MARIA I ANDRZEJ SZYPOWSCY

Konsultacja
Prof. ALEKSANDER GIEYSZTOR
Prof. BRONISŁAW GOŁĘBIOWSKI

Obwoluta, oprawa, karty tytułowe, wyklejka
JULIUSZ KULESZA

Redaktor książki
MARIA JANUDI

Redaktor techniczny
Barbara KLIMASZEWSKA

Korekta
ALICJA BADOWSKA

Zespół Wydawnictwa SiT

Dyrektor Redaktor Naczelny EUGENIUSZ SKRZYPEK

Z-ca Dyrektora ds techniczno-produkcyjnych KATARZYNA BALICKA

Z-ca Redaktora Naczelnego MARIA JANUDI

Informacja dla katalogujących:
CIB — Biblioteka Narodowa
Szypowscy Maria i Andrzej
    Warszawski Zamek Królewski. Zamek Rzeczypospolitej / Maria i Andrzej Szypowscy. — Wyd. pierwsze. — Warszawa: Państwowe
Wydawnictwo SiT, 1989. — 328 s.; il.; 27 cm. — Wkładka z tłumaczeniem ang., franc., niem., ros.

Rekonstrukcje malowideł w Zamku:
W Pokoju Marmurowym plafon — J. Karczewski i S. Garwatowski; w Sali Audiencjonalnej Dawnej plafon — J. Strzałecki; w Sali Senatorskiej supraporty — A. Bertrand; w Sali Wielkiej plafon — Ł. i J. Oźminowie.
Źródła materiałów archiwalnych i rzeczowych:
Zbiory Zamku Królewskiego w Warszawie
oraz Archiwum Dokumentacji Mechanicznej, Archiwum M. St. Warszawy WAP, Biblioteka Narodowa, Biblioteka Sejmowa, Biblioteka Uni-
wersytetu Warszawskiego, Centralna Agencja Fotograficzna CAF, Foto-Kino-Film, Główna Komisja Badania Zbrodni Hitlerowskich — In-
stytut Pamięci Narodowej, Instytut Sztuki PAN, Interpress, Krajowa Agencja Wydawnicza KAW, Muzeum Historyczne M. St. Warszawy
MHW, Muzeum Narodowe w Warszawie MNW, Ośrodek Dokumentacji Zabytków w Warszawie, PP Pracownie Konserwacji Zabytków PKZ,
PP Pracownie Sztuk Plastycznych PSP, Stołeczna Pracownia Dokumentacji Dóbr Kultury, Techfilm, Wojskowa Agencja Fotograficzna WAF,
Wydział Kultury Urzędu M. St. Warszawy, Zbiory Autorów, Zbiory Wł. Bartoszewskiego, Zbiory Państwowego Wydawnictwa Naukowego
PWN, Zbiory Redakcji „Stolica".

Zdjęcia A. Szypowskiego
zostały wykonane na błonach fotograficznych Agfa, Fuji i Kodak wywołanych przez firmę POLMARK w Warszawie.

Zdjęcia innych autorów:
Archiwum Dokumentacji Mechanicznej — 542; M. Bronarski — 520; CAF, archiwum — 8, 295, 297, 547, 548, 565, 570; CAF, J. Bryan — 14,
543; CAF, M. Langda — 48; CAF, Z. Matuszewski — 555; CAF, B. Miedza — 554; CAF, I. Radkiewicz — 47; CAF, H. Wawrzynkiewicz — 45,
56; CAF, A. Witusz — 44; CAF. Z. Wołoszczuk — 41; CAF, M. Szyperko — 43, 49, 50, 53, 59, 66, 414; CAF, A. Uchymiak — 42; CAF, T. Za-
goździński — 63; INTERPRESS, J. Morek — 39, 119, 161, 198, 225, 315, 361, 362; INTERPRESS, Wł. Ochnio — 38; INTERPRESS, G. Rogiń-
ski 309a; INTERPRESS, M. Różyc — 273; IS PAN, archiwum — 11, 12, 13, 18, 100, 101, 102, 104, 109, 135, 136, 138, 141, 142, 153, 156, 270,
299, 320, 321, 322, 330, 331, 347, 353, 354, 356, 372, 373, 378, 380, 381, 396, 416, 417, 418, 431, 452, 453, 454, 455, 468, 469, 472, 473, 474,
485, 516, 523, 524, 529; IS PAN, M. Moraczewska — 293, 298; K. Jarochowski — 549; KAW, archiwum — 271; KAW, D. Gładysz — 37;
KAW, D. Grzęda — 307, 309; KAW, L. Łożyński — 333, 334, 429; KAW, A. Sadowski — 154, 276, 277, 332, 335, 336, 343, 344, 359, 360, 399,
400, 426, 428, 457, 458, 459, 460, 461, 462, 476, 478, 479; KAW, B. Sokołowski — 30, 32, 33; KAW, M. Szyperko — 34, 36; KAW, T. Zagoź-
dziński — 31; T. Koszyński — 46; MHW, archiwum — 163, 165, 166, 179, 181, 237, 242, 519, 525; MHW, W. Wolny — 209, 213, 214, 215, 216,
233, 234; MNW, archiwum — 180, 201, 258, 323, 382, 390, 391, 521, 522 , 530; K. Szypowski — 57; H. Śmigacz — 355, 394, 395, 397, 419;
M. Świerczyński — 296, 546; WAF, J. Sobieszczuk — 60; WAF, L. Wróblewski — 7.

PAŃSTWOWE WYDAWNICTWO „SPORT I TURYSTYKA". WARSZAWA 1989
Wyd. I. Ark. wyd. 58. Ark. druk. 41 + wkładka.

Zam. 347/K. A-72.
ZAKŁADY GRAFICZNE „DOM SŁOWA POLSKIEGO" WARSZAWA.